Water Knows the Answers

水知道答案

〔日〕江本胜 著　猿渡静子 译

南海出版公司

新经典文化股份有限公司
www.readinglife.com
出　品

目录 CONTENTS

前 言

从我开始拍摄水结晶，以全新的方法与水相识相知至今，转眼已八年。

在此之前，我一直用波动测定法进行与水相关的研究。知道水还有结晶这种独特的“容颜”之后,才发现水实际上还有着万种风情，甚至通过它的结晶向我们传递各种信息。

我在研究中看见，与自来水相比，各种各样的天然水结晶可谓美丽至极；水听到了好听的音乐时呈现的结晶更是美不胜收。此外，把“谢谢”与“混蛋”两个词写给水看，它的结晶便会形成非常强烈的对比。这一切表明，人类应该更加珍视生命，享受生命的流光溢彩。

一九九九年六月，我将自己所拍的水结晶汇编成摄影集，交予出版社出版。那是一家小出版社，出版后采取的是自行订购的方式，并未在书店上架销售，但这本书仍然被人们争相传阅，成了畅销书。

这种情况可以说非常罕见。面对这种意想不到的结果，我虽不至于夸张到每天沾沾自喜，但的确由衷地感谢每一位大力推荐和介绍它的朋友。

我希望世界上有更多的人看到这本书，所以在日本出版时，还特意为所有的说明文字配上了英文，这一点我将在后文中提到。此番苦心确实让更多的海外人士接触到了这本书，由于他们的赏识，我有幸多次被邀请到欧美各国演讲，最常去瑞士。

水结晶的照片和其中蕴含的诸多信息能被众人知晓，我想是因为时机已经成熟，是如今这个时代让人们与水产生了共鸣。仅仅因为这一点，我也要感谢命运安排我从事这样一项研究。

我使用了“命运”一词，但这本书的主角是水。只不过对水的了解越深，越发引起我对生命的思考。不知你是否也如此认为？希望大家看到这本书里的照片时，也去思考一下这个问题。

在这本书付梓之际，我除了要告诉大家水传递给我们的信息，还会将沉淀在心底的各种各样的心得写出来。当我把这些想法告知日本 Sunmark 出版社的主编直木宣隆之后，他欣然表示：“这也正是我们的期望。”此外，该社编辑部的斋藤龙哉先生还不辞辛苦地到瑞士去听我的演讲。这一切都给了我继续写下去的信心。

现在书终于写完了，回过头再读，我自己也十分满意。书中不仅提到了我过去十年从事的波动论研究，还进一步阐明了在研究与体验中获得的独有的人生观及宇宙观。在此希望各位读者直率地提出意见与看法。

值此书出版之际，请允许我向“心”公司的谷川真司总经理、Sunmark 出版社的直木主编和斋藤兄献上我最诚挚的谢意。同时还要感谢每一位爽快地接受我采访的朋友。

此外，书中实验所用的世界各地的水，全部依仗“NICHIREI ICE”公司前任总经理田口哲也先生的大力协助，在此一并表示感谢。

更要感谢每一位读这本书的朋友，我要向你们献上源自我内心的真诚的爱。最后，我还要对宇宙中所有的水表示尊敬与感谢。

谢谢你们。

愿外祖父、舅舅、舅妈的在天之灵能得到安息。

序 章

现在正捧读这本书的朋友，请问：在如今这个时代，你是如何生活的？不，如果问得更简单些，应该这样说：你现在幸福吗？

当然，我知道幸福的形式因人而异。如果暂且把幸福定义为心境平和，对未来没有任何忧虑，每天都过得非常快乐，那么现在的你，称得上很幸福吗？

我想，大部分人面对这样的疑问，可能都无法充满自信地做出回答。也就是说，太多的人对自己的生活方式缺乏足够的信心。那么，困扰我们的究竟是什么？这个世界到底发生了怎样的变化？

在我看来，如今这个世界有点像“太古时代”。所谓太古时代，就是宇宙形成之前所处的一种混沌、无序而焦灼的状态。

现在，我们只是迎接每一天的琐碎日常就已经疲惫不堪。报纸、电视上充斥着各种数不清的信息；在工作上，与客户不断地产生纠纷、误解，甚至龃龉……这一切让我们烦恼丛生。

放眼世界，同样如此。泡沫经济、国际纷争、种族歧视、环境问题、宗教战争……令这个小小的地球几乎要走向毁灭。通过新闻报道，这些坏消息数秒间便会传遍世界。

而在这种种纷争中，有挣扎受苦的人，有幸灾乐祸的人，有被统治的人，有被压榨的人；有人变得富有，有人则越发贫穷……

到底是谁把这个世界搞得如此复杂？是谁在不断分裂这个世界，让它愈发割裂，之后变得更加混乱？这一切都让我们感到困惑，并束手无策，仿佛回到除了混沌还是混沌的深不可测的“太古时代”。

每一个如蝼蚁般在如今这个地狱一样的世界里求生的人，都在寻求答案——一个简洁而肯定的答案；同时，还期待着这个答案能让世界获得救赎。

世界为什么会重新回归“太古时代”的混沌状态？最关键的问题是什么？答案是一切的一切都已无法再调和，开始走向分裂。

也许这让人感觉很无奈。虽然同为人类，却因为地域或人种的不同，想法产生了某些差异。事实也是如此，不同肤色、不同生活习惯、不同宗教信仰的人，如今全都生活在地球上，再加上人类本身就不善于接纳异己，这片土地上就难免发生各种各样的纷争。面对这样一种世界格局，我想，目前可能一时找不到有效的解决办法。

这样一来，人类仿佛走进了死胡同。那么，到底有没有一个适用于生活在地球上的每个人，并且人人信服的答案呢？

现在，我要给大家一个提示，那就是人的身体百分之七十是由水构成的。

人类受精卵的百分之九十九是水；出生后，水占人体的百分之九十；长到成人时，这一比例缩减到百分之七十；到临死之前大约会降到百分之五十。无论如何,可以说人的一生几乎都活在水的状态中。

从物质的角度来看，人就是水。而以此为前提的话，我们就可以很冷静地去看待很多事物。

不管你是什么人种，“人就是水”这个前提是不会变的。我想说无论什么样的人，他们之间都存在一种共通的东西。

至此，“人到底应该怎样生活”的答案也就有了。

一言以蔽之，想健康而幸福地度过一生，只要让占人体百分之七十的水干净就可以了。

河水因为流动才能保持清澈。如果不再流动，它就会成为一潭死水。也就是说，水必须保持一种循环状态。很多健康受到损害的人,大多是因为体内的水（或曰血液）凝滞所致。血液一旦停止流动，身体便开始变得虚弱。如果碰巧脑血管有问题，还有可能危及生命。

那么血液为什么会凝滞呢？我想，这与人类的情感受挫有关。近年来，医学已经证实，人的心理状态对身体的影响很大。每天生活得轻松快乐，身体自然健康无病。如果总是陷于烦恼愁苦之中，身体马上就会出现异样。

当情感生机勃勃地处于流动状态时，任何人都会感到幸福充溢，身体也比往常更为健康。人体内的水洁净而不凝滞，并源源流动，对人来说是最重要的。

在我们思考人何以为人前，不妨先把自己想象成是水做的，相信这更能让我们明白人的本质到底是什么。只要知道水的本质，就可以解开人的本质之谜，从而进一步了解人类存在的意义。

水到底是什么？首先我们会想到它是一种生命力。人只要失去体内百分之五十的水分，便无法再生存。人体通过水分吸收营养，并通过血液或体液将营养输送到体内的各个器官。只有体内的水在流动，生命才有可能延续。站在生命的角度来看，水可以说是能量的源泉与载体。

作为能量载体的水，有点像人体内的运送车。如果运送车本身就肮脏无比、堆积着许多垃圾的话，它所运送的货物自然会受到污染。因此，水必须保持自身的洁净。

很久以前，水在人体内负责输送能量的说法就广为人知，并被应用于疾病的治疗。其中最特殊的莫过于“顺势疗法”。

顺势疗法是十九世纪前半叶由德国医生哈内曼发现的一种治疗方法。不过它的起源其实更早。据说在公元前五世纪到公元前四世纪间，古希腊的医学之父——希波克拉底就曾记载过这种治疗方法。其内容简而言之便是以类治类，以毒攻毒。

例如，让铅中毒的人喝下铅含量很低，也就是铅分子几乎已经不存在的铅水，其中毒症状就会消失。

即是说，只要将铅稀释到某种程度，使水中几乎已不存在铅，但仍然可以称为铅水时，就能成为治疗铅中毒的良药。

顺势疗法认为，稀释的浓度越低，效果就越好。换句话说，体内毒素的浓度越高，它所要求的稀释倍数也就越高。

即是说，症状的消失并非仰仗物质的功效，而是稀释后通过水复制了某种信息，然后与中毒症状发出的信息相克，从而达到治疗效果。

水可以复制信息并进行记忆。海水可能记住了许多以海为生的生命的故事；冰川可能记录下了地球数百万年的历史，并封存起来。

水在巨大的地球上循环后，进入我们的身体，然后重新奔赴世界各地。如果我们能读懂水传递的信息，一定会发现一部极为壮阔的史诗！

因此，了解水就等于了解宇宙、大自然，乃至生命的全部。

研究水多年之后，有一天，我偶然翻开一本书，一行标题映入了眼帘：

“雪之结晶，没有任何两片相同。”

关于这一点，我们上小学的时候学校便教过了。世上下了几百万年的雪，没有哪两片模样相同。

那一天，这句话给了我特别的启迪。

“原来如此。说不定把水冻成冰，观察它的结晶，模样可能也会完全不同！”

从那一瞬间起，我开始了进入全新世界的冒险。我的想法是把水冻成冰，然后拍出它的结晶照片。

我的性格是灵感一来，就要马上付诸行动，于是很快和公司里年轻的研究员一同展开实验。只是这个前所未闻的实验结果会怎样，谁也无法预料。

但令人不可思议的是，我相信它一定会有结果。我有很强烈的预感，这一假设绝对正确，实验肯定能顺利地进行下去。更奇怪的是，做事一向只有三分钟热度的我，对这项实验却非常执着。

我立刻租来精密度很高的显微镜，并将水放到家用冰箱里结成冰。因为在常温下进行拍摄，冰块的融化速度很快，所以好长一段时间内根本拍不到结晶的照片。

于是，我只好每天请研究员吃饭，鼓励他不要灰心，无论如何都要竭尽全力、充满信心地坚持下去。

着手实验两个月后，终于拍到了第一张水结晶的照片。那是一片非常美丽的六角形水结晶。欣喜若狂的研究员来向我汇报时，我也不禁心头一热。

现在，我们为了方便实验，购置了一台非常大的冰箱，一直将其温度设置在零下五摄氏度。设施得以完备，全仗最初的照片给予我们的信心。现在想来，在那样的环境下竟然能拍到第一张水结晶的照片，真是不可思议……

有志者，事竟成。一切全凭人的努力。我再次坚定了信念：意识创造奇迹。

从那之后，拍到的水结晶反反复复说明了世界的一切，蕴含着深刻的哲理。水结晶常常形成于温度开始上升、冰块开始融化的数十秒间。就在这短暂的瞬间，宇宙以肉眼可见的形态呈现在人们面前，旋即消失。正是在这一瞬间，我们窥见了一个虚幻的世界。

我拍摄水结晶照片的具体方法是这样的：

首先将各种水分别放到有盖的玻璃器皿中（刚开始进行实验的前几年，每次要用一百个玻璃器皿），然后放进冷冻库冻上三个小时。这样水会在玻璃器皿中形成直径大约为一厘米的冰块。将光线投射到一个个凸起的冰块上，用显微镜观察，就能看到结晶。

当然，不同的玻璃器皿中不会出现相同的结晶，有的甚至无法形成结晶。统计这些结晶并制成图表后，就能了解水的性质，诸如哪些水会出现类似的结晶，哪些水根本不会形成结晶，哪些水只能形成一些破碎的结晶，等等。

我首先观察城市的自来水。东京的自来水几乎无法形成结晶，说完全拍不到一张美丽的结晶照片也不过分。这是因为东京的自来水在消毒的过程中使用了氯，从而将天然水的美丽结构全都破坏了。

与此相反，只要是天然水，无论出自何处，它们展现的结晶都异常美丽。泉水、地下水、冰川水以及仍然保持自然形态的河流上游的水（下游的水往往因为生活废水的注入，无法看到美丽的结晶）……不管来自世界上哪个地区，只要是大自然中未被污染的水，都能呈现出美丽的结晶。

就这样，我们拍摄和观察水结晶的研究正式走上了轨道。

不久之后的一天，拍摄水结晶的研究员突发奇想，蹦出一句话："让水听一听音乐，看看会形成什么样的结晶。"他已经完全被水迷住了。

的确，让水听音乐，将波动传递给水，有可能改变水的性质。我自己很喜欢音乐，小时候还认真地想过当音乐家，所以举双手赞成这项独特的实验。

虽说有这个想法，但是要在什么样的状态下给水听怎样的音乐，我们完全摸不着头脑。经过几次错误的尝试之后，我们决定在两个喇叭之间放一瓶水，用一般人平时听音乐的音量让水听听看。因为此前使用的水都是一样的，这次我们商量着到药店买瓶精制水试试。

实验的结果妙极了。听了贝多芬《田园交响曲》的水呈现出的结晶，像这首明快清爽的曲子一样美丽而工整；而听到对美充满深深祈望的莫扎特《第 40 号交响曲》的水，其结晶也竭尽全力展现出一种华丽的美。

最妙的是听了肖邦《离别曲》的水结晶，美得小巧玲珑，并分散成几块，简直令人惊叹。（后来我了解到，《离别曲》原来并不叫这个名字。看来水感受到的是为这首曲子起名为“离别曲”的那位日本人的感受。）

水就这样随着美丽的古典音乐发挥自己的个性，形成了美丽的结晶。相反，让水听充满愤怒与反抗色彩的重金属音乐时，它的结晶形状全都是凌乱破碎的。

接着，我们又有了更奇妙的想法，那就是让水读文字。我们把水装进瓶里，在纸上写一些字，把字朝里贴在瓶壁上。我想知道分别给水看“谢谢”和“混蛋”这两个词时，它们的结晶有什么不同。

从常理来说，让水“阅读”字面意思不同的文字，从而改变它的结晶形状，简直是不可能的事。但通过成功的音乐实验，我对这种想法不再抱有怀疑，马上开始了让水读文字的实验。有如误入奇境一般，我满心期待着实验的结果。

结果揭晓时，真的又令我大吃一惊。看到“谢谢”二字的水结晶，非常清晰地呈现出美丽的六角形；而看到“混蛋”二字的水结晶，像听到重金属音乐的水结晶那样，破碎而零散。

同样的，把“让我们做吧”这句话贴在瓶子上给水看，它的结晶就很整齐；采用命令式口气要求它“一定要做”，水甚至无法形成结晶。

这个实验让我们了解到日常生活中措辞的重要性。使用友善温和的语言，会将事物带向好的方向；而恶言相对时，则会导致不好的结果。

探索水本身蕴含的“故事”，就像探索宇宙一般充满冒险。水为我们打开的是通往另一个空间的入口，在不间断地拍摄水结晶的实验过程中，我其实已经不知不觉踏上了探索宇宙深远奥秘的旅程。

其中，有一张水结晶的照片深深俘获了我的心，我从来没见过如此美丽而绚烂的结晶。它就是看过“爱与感谢”这几个字的水形成的结晶。这样的水结晶充满了喜悦，像盛开的鲜花一样。这张美丽的水结晶照片，几乎改变了我的人生观。

日本人自古以来就相信，使用不同的语言，会对世界的改变产生不同的影响。语言能非常深刻地影响意识，所以不管我们做什么，都应该采用积极的语言，让事物朝着健康的方向发展。但这种想法在过去没能呈现出肉眼可见的形态，并未获得认同。

语言是心灵的体现。对生活所持的不同心态，会改变占人体百分之七十的水，并以身体的外在形态表现出来。拥有健康心灵的人，体魄也相对要健康许多。正所谓有健康的内心才有健康的身体。

我开始研究水的时候就有一个愿望：尽可能地帮助更多人恢复健康。我确信某些疾病不仅仅源于人本身，也源于整个社会的扭曲。

如果不改变这个扭曲的世界，恐怕肉体患病的人不会减少，患有心理疾病的人也无法得到救治。

那么让这个世界扭曲的到底是什么呢？是心灵。扭曲的心灵影响到全世界，正如一潭积水中有一滴水落入，就会有无尽的波纹扩展开来。只要有一个人的心灵产生扭曲，他就可以影响周围的人群，乃至影响整个世界。

但是，请各位大可放心，这种负面影响依然有药可救，那就是心怀“爱与感谢”。

世界正在向我们发出祈求，它想变得更美，它在向我们祈求一种达到极致的美丽。请回想一下我们最初的定义：人是水做的。看到水结晶照片的人，体内的水一定会发生某种变化。产生这种变化是因为它找到了最为极致的美，而这种美就是看到了“爱与感谢”几个字形成的水结晶。

“爱与感谢”同时也是所有宗教的根本。如果所有人都心怀爱与感谢，法律的存在也许会显得多余。相信你现在已经知道了答案——“爱与感谢”将是引导未来世界的关键。

水明确地指引了我们生活的方向，而水中包含的每一首史诗，都是从一个细胞扩展至整个宇宙的永远不会结束的故事。

希望你和我一样，满怀期待与喜悦去欣赏每一首史诗。

宇宙是由什么构成的？

人由水构成，了解这一点是认识整个世界的关键。只要从这个角度综观周围的世界，我们就会看到与过去完全不同的风景。

人类所编织的无数史诗，可以说都是通过水映照出来的一段段故事。

人类社会如同广阔的大海，我们以各自的姿态滴落其中，参与社会的运作。

我希望将水中蕴含的信息告知更多的人，于是决定把拍到的水结晶照片拿去出版。出版后的书虽然只是沧海一粟，却出乎意料地引发了巨大的反响，并逐渐形成更大的波澜返回我身边。

那本摄影集出版于我开始拍摄水结晶照片的六年后，也就是一九九九年。在这之前，我拍摄的大量照片始终只能沉睡在办公室的角落里。

为了出版整理这些照片时，我发现不知不觉间，这些水结晶的照片已经写就一段段非常美妙的故事。照片上的每一片水结晶，都在诉说着一个个故事，写下一首首壮阔的史诗。

一有将这些照片以摄影集的形式出版的想法，我马上告知了好几家出版社，但都没有得到理想的答复。然而这没能动摇我出版摄影集的信念。

最后，我决定在自己的公司做这本书。可是进入实际销售阶段时遇到了一个难题——我的公司没有出版发行的资格，无法让书在书店上架销售。

我心里很苦恼，却别无他法，只好亲自将已经被人预订的数百本书包好，邮寄出去。

那些摄影集刚寄出去没多久，以前预购过的人便又开始来邮购。

就是说，买了这本书的人将它介绍给朋友和相识的人，一传十，十传百，很多人都知道了。他们受朋友委托，五本十本地来购买。这种情形有点像水面上荡起了涟漪。

因为想让世界上更多的人知道这本书，我还特地让翻译公司在说明文字旁边加上英文。拜此所赐，这本摄影集有机会呈现在海外人士面前。当然，这全都要归功于它的英文翻译——阿维汉特·静子女士，是她不断将书寄给欧美的朋友，让那些海外人士看到。

没过多久，被这本书感动的人开始向我发出热情的邀请，希望我能到他们那里去演讲。

于是，我有幸将这些水结晶的照片陆续介绍到瑞士，再到德国、澳大利亚、荷兰、意大利、英国、美国，以及加拿大等国家。

我想我真的碰上了一个绝佳的时机——人们正在这个混沌世界中寻求出路。

我出版的这本书虽然微不足道，却将极有意义的一滴水注入了这个世界。相信大家一定能从这些照片中体会到水在阅读文字、看到照片以及听到音乐时发生的奇妙变化。

后面将请大家细细品味我拍摄的一部分水结晶照片。

我出版的书在日本乃至世界其他地区传开后，得到了很多人的反馈意见和感想。换句话说，由我激起的小小涟漪，最后出乎意料地引发了巨大的波澜。

人的意识或语言具有的能量能够通过水结晶，以肉眼可见的形态显现出来，这件事令许多人惊讶不已。在过去，诸如此类用语言或思想改变水或其他物质性质的想法，常常只是被归入宗教或哲学的范畴。

但这一刻，相信许多人都有了与我一样的感受——在水结晶的庄严姿态中，蕴藏着世界上所有的美。相对的，根本无法形成结晶，甚至只呈现出扭曲状态的水，则暴露了长期隐藏在人们心底的黑暗。

我在演讲时，经常会放映一些水结晶的幻灯片，结果发现人们的反应大不相同。有的人因为事情太出乎意料而惊叹不已，有的人则会感动得落下泪来。谁能想到一滴水竟能在人的心里激起如此大的涟漪呢?

邀请我到瑞士并策划演讲活动的玛鲁薇拉·金女士看过摄影集后，说了这样一番感受：

“水结晶照片的神奇之处，就在于我们的肉眼看得到。而且通过这些照片，我们的意识得以快速地觉醒与飞跃。我们经历与感受的一切，现在有了眼见为实的证据，我们因此对其有了更深的理解与认识。”

另一位瑞士女士也深有感触地说：

“通过水结晶的照片，我们可以亲眼看见意识或语言等能量的转化。这是能让我们看见能量真实状态的唯一的方法。人们不相信自己的眼睛看不到的东西，但是水结晶却让我们看到了一切。这已经不是相不相信的问题了，因为任何人都可以用这种方法去实验、去证明。”

而一位日本读者在寄来的明信片中这样写道：

“这本书让我认识到，水不仅仅是一种物质，还是对大自然生命力的展现，它具有净化的功能，以及抚育万物的神秘力量。看到人的心理波动让水结晶发生的变化，我感觉到人的心灵与语言的重要性。这是人类前所未有的一份珍贵资料，令我感动！”

水结晶在一瞬间就虏获了人心，它为什么有这么大的魔力呢？

这是因为其中隐藏了解开宇宙之谜的关键，同时也为人类该如何在宇宙中生存打开了一扇心灵之窗。

水是心灵的镜子。水有各种各样的表情，并能真实地展现人类的意识。为什么水可以映照人的心灵呢？人类的意识又是什么？在具体回答这些问题之前，首先要请各位了解下面这些事情。

万物是通过波动存在的，世间所有的一切都在波动，并且各自拥有一定的波长，从而形成自己独有的波动。

这就是我所有实验的前提。在不断研究水的过程中，我也发现，波动同时还是宇宙存在的基本原理。

上面提到的关于万物都在波动的观点，用短短一行文字就能表达完整，但对于第一次接触到这种说法的人，或许还是很难理解。

“世间的一切都在波动？桌子、椅子、自己的身体，眼前见到的一切都在波动，这到底是什么意思？”

的确，如果告诉单单相信所触摸的物体的真实感的人，内外都很坚实的木材、石头、水泥等物体其实都在波动，真的会让人难以置信。

然而，在量子力学等科学领域，物质的波动是常识。如果将物质一一细分，其实我们身处的是一个一切都是由粒子与波动构成的不可思议的世界。

假如你将自己的身体设想成一个极其微小的个体，并准备开始探索宇宙形成的奥秘，就一定能明白，世间万物不过是围绕在原子核周围的电子。原子则通过数目与形状不同的电子，维持着其固有的波动。

无论什么东西，它的原子世界都不是密实得毫无缝隙的，它随时围绕着原子核波动。

所有物体均处于非静止状态，不停地波动，并以超高的频率不断循环往复。

《般若心经》中说："色即是空，空即是色。"换言之，我们肉眼所见未必就是真实，肉眼所不见者，却常常是真实的存在。

释迦牟尼这句谜一样的偈语，现在很神奇地得到了证明。

万物肉眼可见，波动却看不见。下面这种情形或许大家都曾经历过。

一天正和某个朋友聊天，气氛愉快热烈，另一个朋友忽然来访。门打开的一瞬间，原本明朗得如百花盛开的春日般的气氛急转直下，空气就像凝固了一样，整个房间顿时被阴暗沉郁的氛围笼罩。再看走进来的这位朋友，面容憔悴、垂头丧气，怎么看都是一副被生活搞得极其疲惫的样子。

他到底怎么了？失恋了？工作不顺利？他的人生充满了烦恼与困惑？

至于到底为什么，就任由各位猜想了。问题的关键在于，他打开门的一瞬间，为什么房间里的气氛会急转直下呢？

其实这是因为人也在波动。每个人都有固有的波动频率，同时也像装有接收器一样，能接收外来的波动。

对人生感到悲观的人，就会发出悲观的波动频率；对一切都能欣喜相对的人，就能发出欢喜的波动频率。爱上他人时，会发出爱的波动频率；做了坏事时，发出的波动频率往往充满了黑色的邪恶。

可以波动的并不仅仅是人类，某些事物及场所同样能发出波动。就像在某个地方开店就会生意兴隆，是因为那个地方总是被幸运的气氛笼罩。

说到这里，我不禁想起经常听到的一个传闻：有些宝石会给主人带来不幸。

不只是物质，其实这个世界上所有的现象，也都有其固定的波动频率。

当大气内部的能量发生某种变化时，就会引发雷电或台风。虽然那剧烈的能量转换可能会给我们带来灾难，但换个角度想，也未必是件坏事。假如雷电或者台风能把地面上累积的负面能量一扫而空，倒也值得庆幸。

从这方面去考虑，便不难理解为什么人类自古以来就喜欢祭祀了。很多人聚集在一起，穿着华丽的衣装又唱又跳时发出的明快而高昂的频率，肯定能使原来凝重的负面能量灰飞烟灭。

万物皆能发出波动，并有其固定的波动频率。了解这一点，相信除了能让你更加深刻地感知世界，还能让你在面对过去与未知的未来时，驱除压抑在意识深层的忧郁，通过新的发现与感动，为人生增添瑰丽的色彩。

既然万物都能发出波动，那么也必然能发出声音。

不过我们未必能听到所有的声音。也许极少数人拥有能听见树或花草之间对话的能力，但绝大多数人的耳朵听不见植物发出的声音。所以比较稳妥的说法是，万物发出的每一种波动，都能被置换成各不相同的声音。

人的耳朵能听到的声音大约在十五赫兹到两万赫兹之间。所谓赫兹就是指一秒钟振动的次数。只能听到这个范围内的声音其实对我们很有益，因为如果能听到所有的声音，恐怕夜里就很难入睡了。

自然界的构成可谓非常奇妙。有声音，就有倾听声音的高手，它就是水。

为什么水听到音乐，结晶会发生变化呢？为什么听到不同声音或者看到不同文字的水，会呈现出不同的面貌呢？这一切都是因为有“波动”存在，还因为水对万物发出的波动都非常敏感，能将它们如实地复制下来。

让水阅读文字

把水装进瓶里，把打上字词的纸贴在瓶壁上给水看。

爱与感谢

水呈现出几近完美的结晶，像在讲述大自然本就起源于“爱与感谢”的故事。

ありがとう（日文）

尽管语种不同，但无论看到用哪个国家的语言标示的“感谢”，水都会呈现出形状整齐的美丽结晶。

多谢（中文）

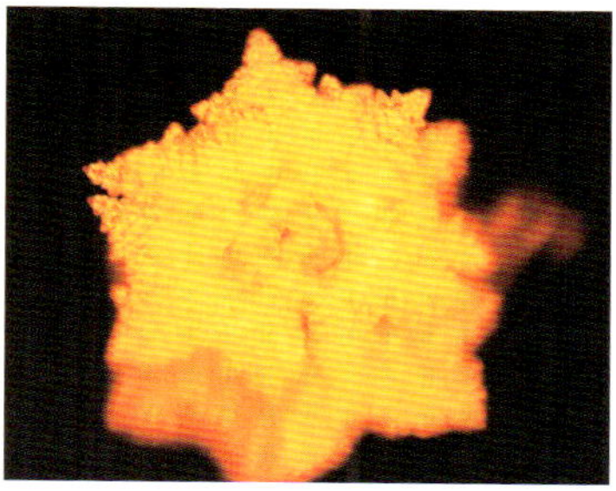

Thank You（英文）

Danke（德文）

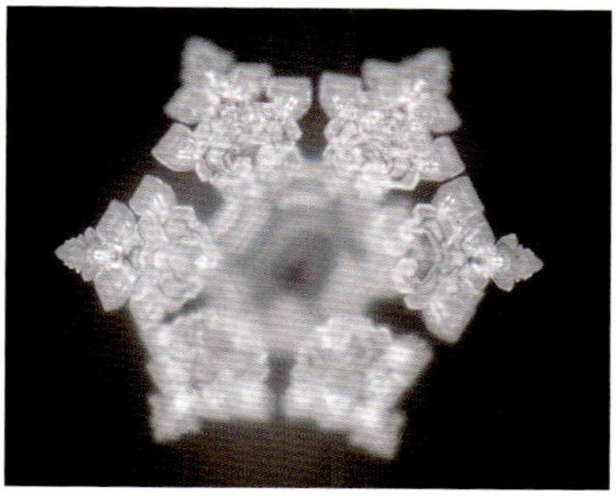

Merci（法文）

감사합니다（韩文）

Grazie（意大利文）

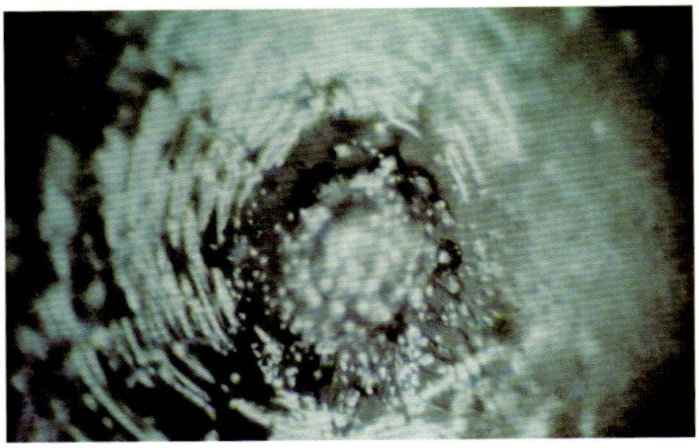

混蛋

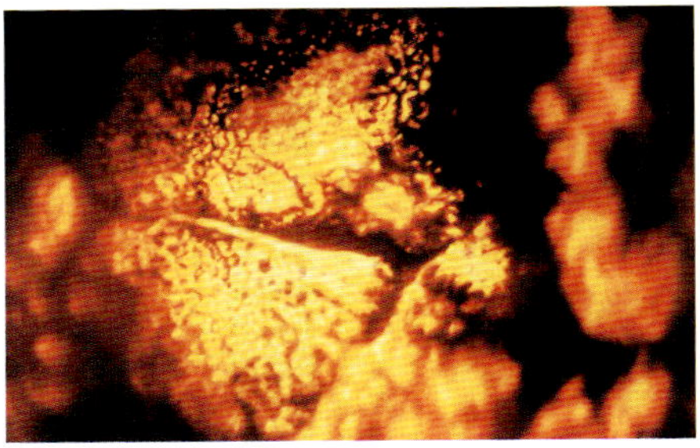

You Fool

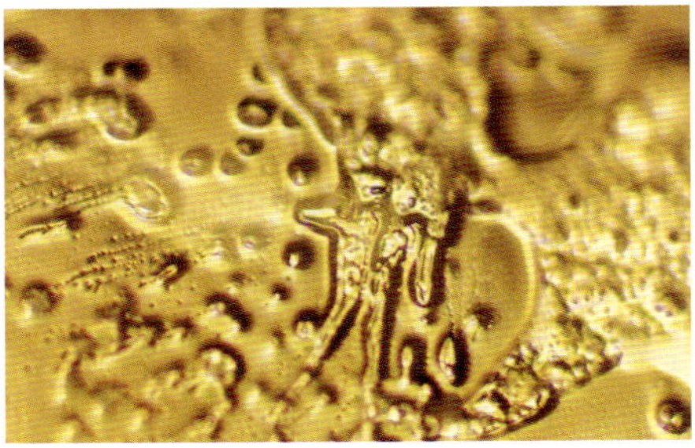

气死我了，宰了你！

看到伤人的语言时，水都无法形成结晶。看到“气死我了，宰了你！”这样的话语时，水竟然呈现出孩子被欺负时的样子。

天使

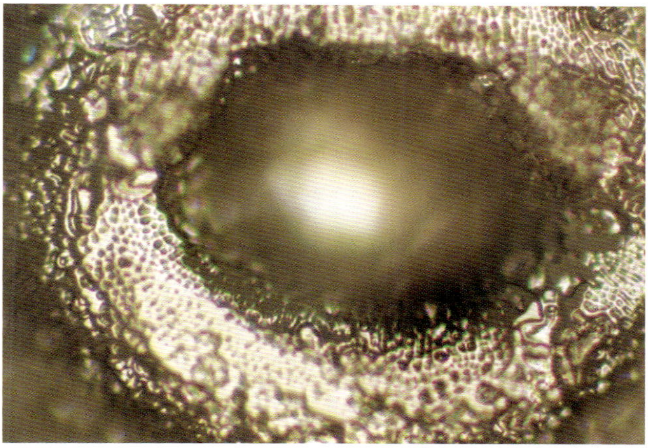

恶魔

“天使”一词，让水结晶呈现出有很多小结晶环绕的模样。“恶魔”一词，则让水结晶的中心部分呈黑色凸起状，让人感觉充满了攻击性。

让我们一起做吧

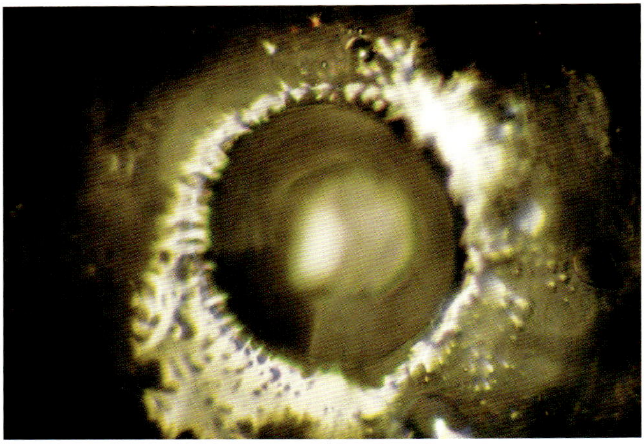

你必须给我做!

看到“让我们一起做吧”，水结晶非常可爱。看到“你必须给我做！”，水结晶有点像恶魔。这也许正说明，强制或者命令不符合大自然的法则。

对不起！

真诚地表示歉意，应该是件好事。可水结晶看起来有点模糊，也许太过坦诚，让它觉得有点不好意思。

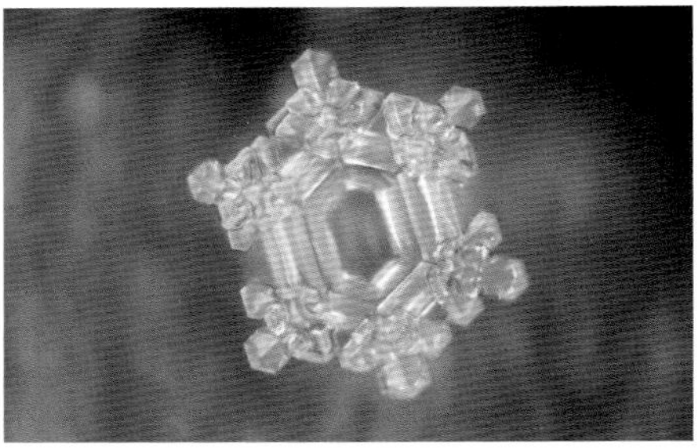

智慧

Wisdom（英文）

Weisheit（德文）

无论哪种语言，水看到“智慧”一词呈现出的结晶都很类似，非常整齐。也许这是因为大自然的法则没有地域之分。

在某小学做的实验

在某小学让孩子们跟水说话，而对另一些水则采取置之不理的态度。

好可爱呀！

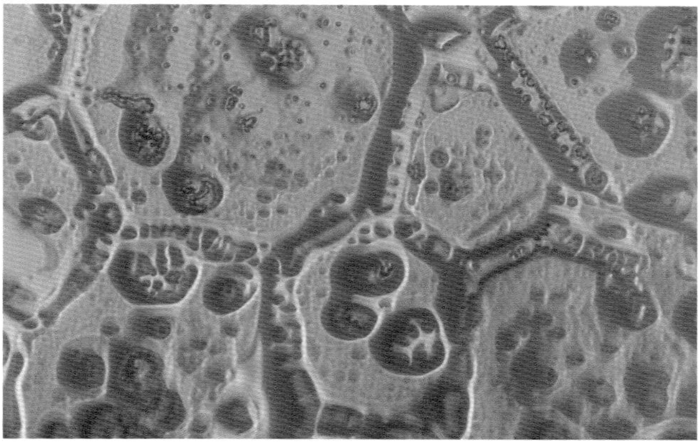

混蛋！

听到孩子们说“好可爱呀”的水结晶呈现的形状非常可爱。听到骂它“混蛋”的水结晶会如何呢？就如你所看到的样子。

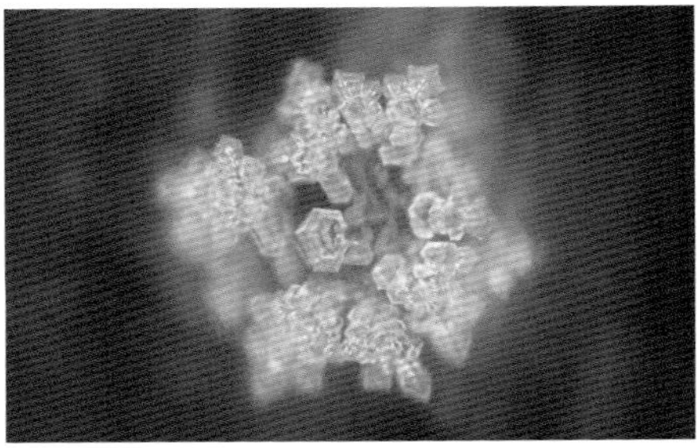

偶尔对它说“你好漂亮呀”的水结晶

不断听到“你好漂亮呀”的水结晶

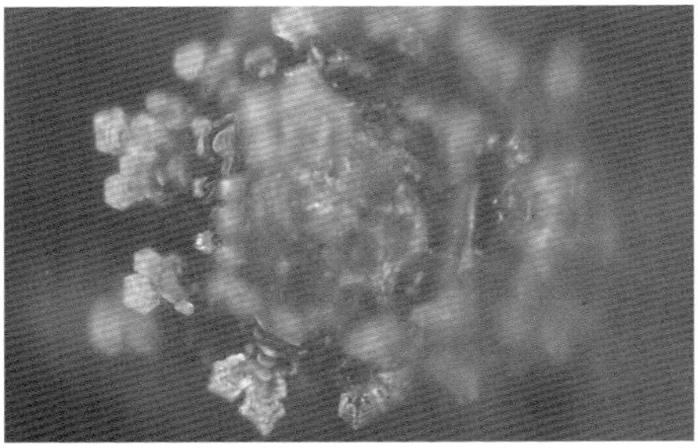

置之不理的水结晶

与偶尔对它说“你好漂亮呀”的水结晶相比，不断听到夸它“你好漂亮呀”的水结晶的形状更整齐。对它采取置之不理的态度，结晶形状会很散乱。

宇宙是什么样子的？

这是让水看地球的照片以及日文、英文和德文的“宇宙”一词呈现出来的结晶。

宇宙（日文）

Cosmos（英文）

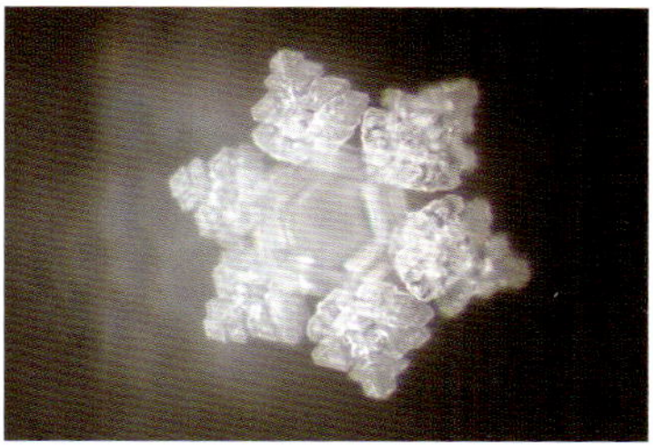

Kosmos（德文）

看过用三种语言所写的“宇宙”一词的水，其结晶很相似，都非常整齐。这也许正说明大自然的法则是没有国界的，是共通的。

看到地球照片的水结晶

看到地球照片的水结晶非常美丽，唯一可惜的是形状稍微有点扭曲。如果再工整些，怕是世界上没有比它更美丽的结晶了。

水也能听音乐吗？

将玻璃瓶中的水放在两台音箱中间，让它听音乐。

贝多芬《命运交响曲》

贝多芬《田园交响曲》

听贝多芬交响曲的水结晶，都呈现出非常浪漫的样子，美丽而工整，似乎说明音乐有安抚疲惫身心的功效。

莫扎特《第40号交响曲》

听过这支交响曲的水结晶就像其曲调一样，也非常美丽。但这个结晶比较特殊的一点是仿佛再现了莫扎特的奔放个性。

巴赫《咏叹调》

水结晶像小提琴奏出的流水般的旋律一样呈现出相互联结的形状，非常独特。

听到《离别曲》的钢琴演奏，水结晶呈现颗粒状。《离别曲》虽然不是曲目原名，但其结晶也呈现出分散的颗粒状。听过《雨滴》后的水结晶形状正如水滴。

肖邦《离别曲》

肖邦《雨滴》

听到《离别曲》的钢琴演奏，水结晶呈现颗粒状。《离别曲》虽然不是曲目原名，但其结晶也呈现出分散的颗粒状。听过《雨滴》后的水结晶形状正如水滴。

柴可夫斯基《天鹅湖》

结晶的形状仿佛天鹅的纤美身躯。不知道另一幅结晶的照片呈现的是不是希望之光的色彩？水结晶或许在随着剧情而变化。

甲壳虫乐队《昨天》

这个水结晶的形状如此工整，有点让人吃惊。这首曲子可以说是备受全世界人喜爱的名曲，难道是因为它很简练吗？

猫王《伤心旅店》

如同曲名一样，水结晶一分为二，恰如心碎的感觉。

巴德·鲍威尔的爵士乐《埃及艳后之梦》

这是一首创作于 20 世纪 50 年代的现代爵士乐曲。呈现出来的美丽水结晶正说明，这首曲子在混沌的年代具有疗愈效果。

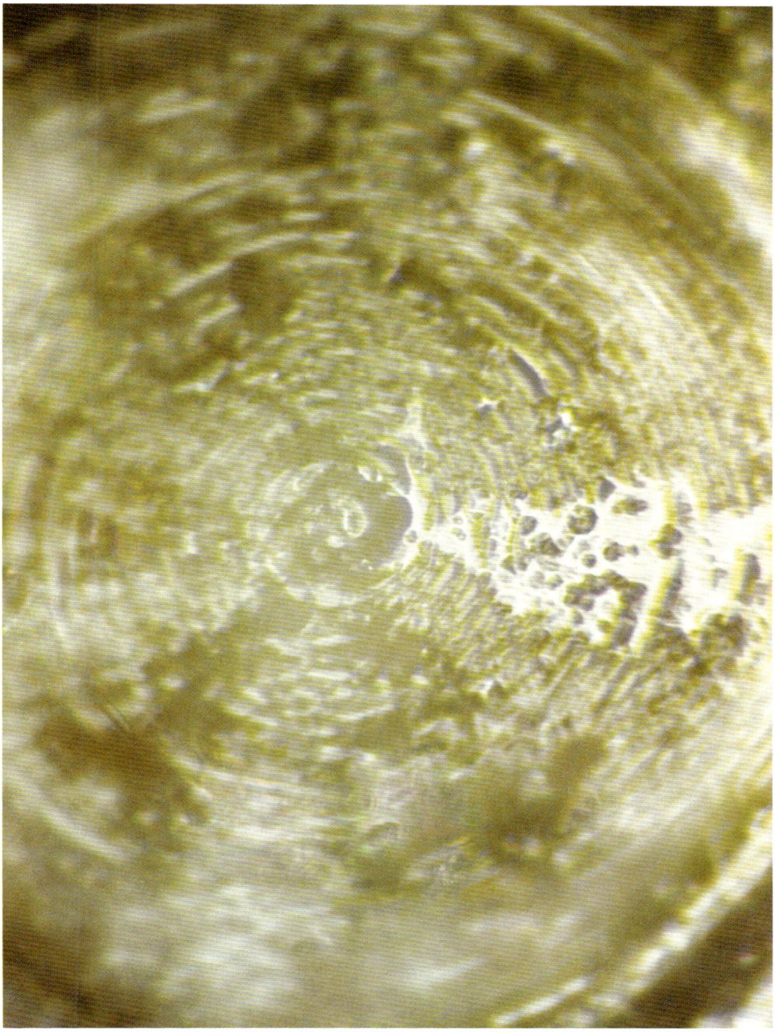

某重金属乐曲

曲调嘈杂，歌词充满愤怒低俗的字眼。水结晶与看到“混蛋”一词时相似，反映的正是对音乐的感受，或者说是对歌词的“理解”。

《春》

《夏》

《秋》

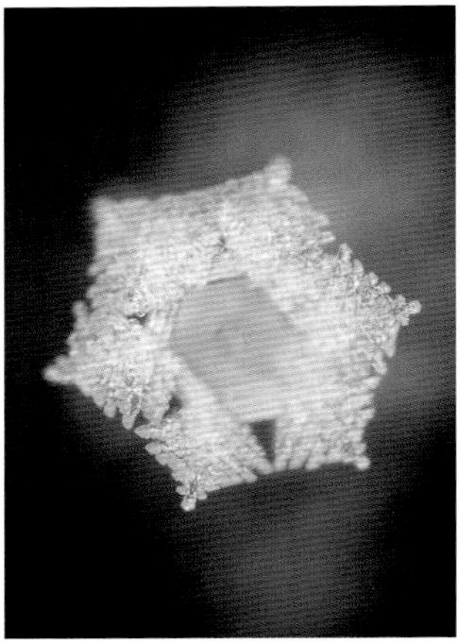

《冬》

维瓦尔第《四季》

初现嫩芽的春天、鲜花盛放的夏天、孕育了成熟的新生命的秋天，以及蛰伏静候生机再现的冬天——水结晶充分展现了四季的意蕴。

歌曲《发现小小的秋天》

歌曲《红蜻蜓》

听过《发现小小的秋天》的水结晶，体态恰似落叶。听过《红蜻蜓》的水结晶的六角花瓣形状，看起来是不是有点像蜻蜓展翅？

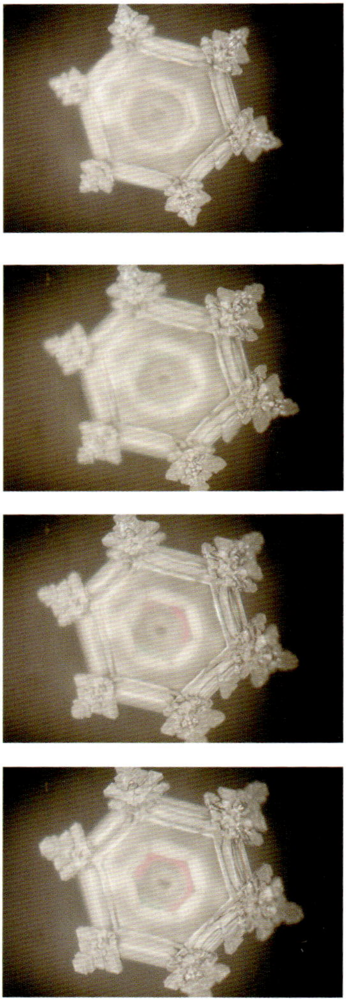

歌曲《柑橘花开的山丘》

每经过十秒，水结晶的颜色就会有变化，由此可知水也有呼吸。结晶中间的圆形部分会慢慢变红，恰如逐渐走向成熟的柑橘。

电磁波果然可怕!

我们做了这样一个实验，将蒸馏水和看过“爱与感谢”字样的水分别放在电视、电脑、手机旁，另一种用微波炉加热过的水也拿来作对比。

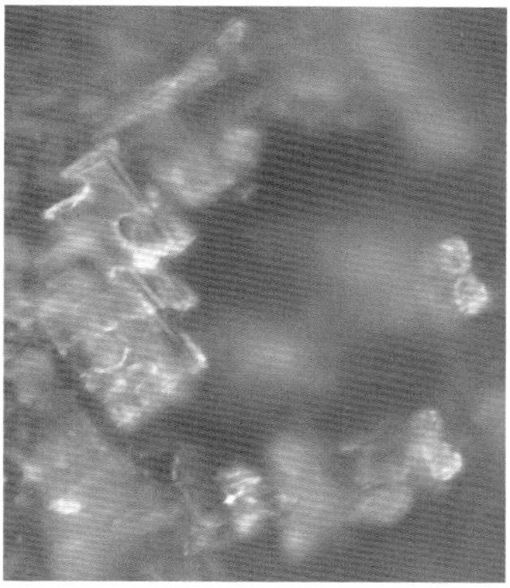

电视

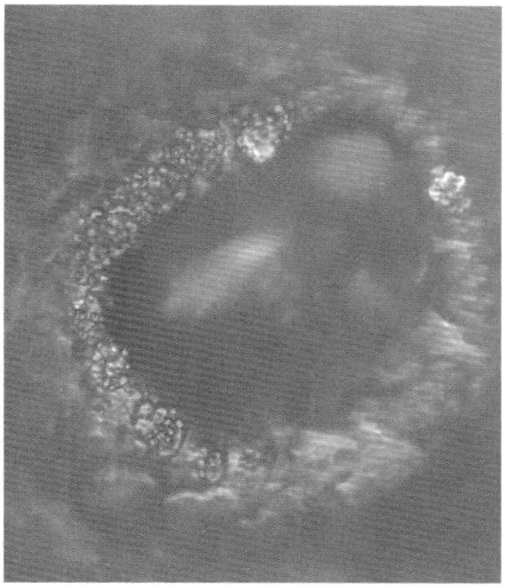
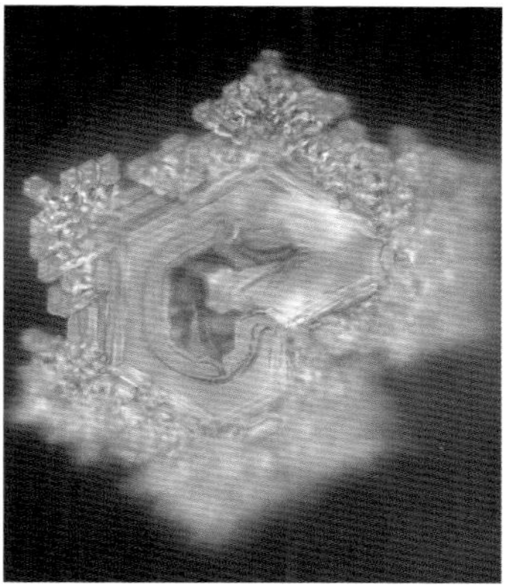

电脑

右侧两幅照片中看过“爱与感谢”字样的水结晶，远比左侧的蒸馏水结晶美丽得多。再看左侧的两幅照片，我们就会知道，不管是电视还是电脑，使用时都要适可而止。

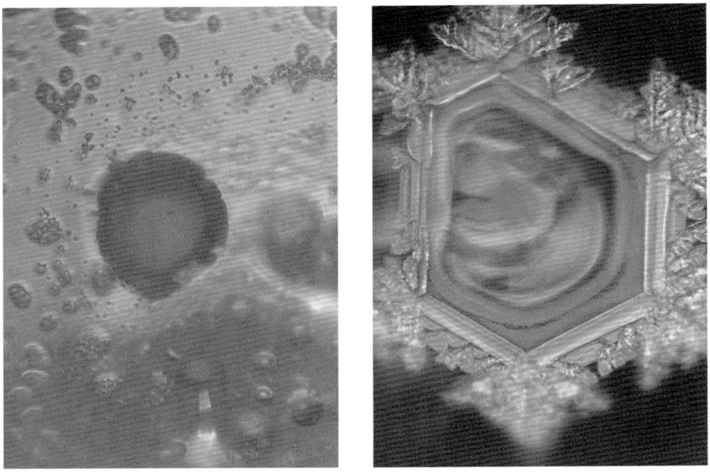

手机

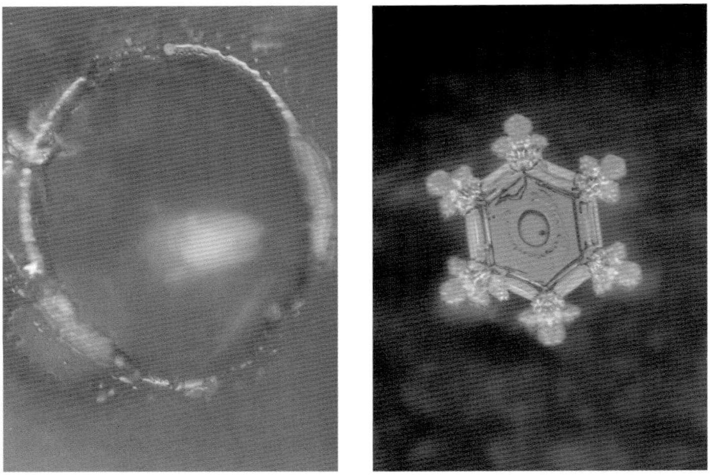

微波炉

用微波炉加热过的水的结晶，就像看过“恶魔”一词的水结晶一样，形状非常糟糕。此外，手机对人的身体可能也有不好的影响。

看到好的电视节目的水结晶

那是一档探讨生命奥秘的电视节目，水看过之后形成的结晶非常美丽。不知道电磁波会不会因为节目的内容减少危害性。

不可思议的水结晶

这是听过美好祝辞前后的湖水，看过主神名字、看过鬼神照片以及地震前后照片的水结晶。

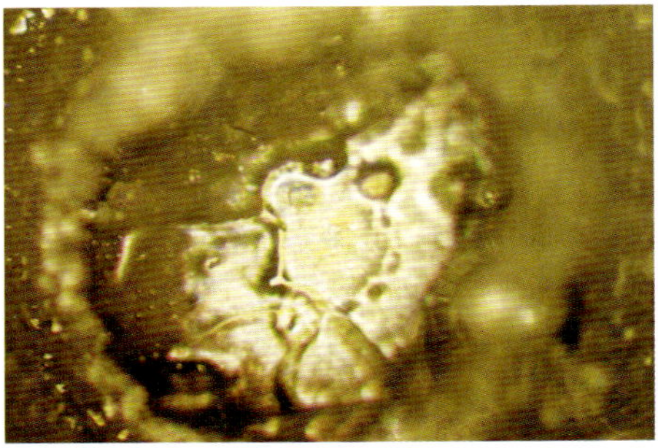

听过美好祝辞前后的湖水

听过美好祝辞的湖水形成的结晶，形状庄严美丽。

看过主神名字的水结晶

既如明镜，又如太阳，还带着一种庄严与神圣。

看过鬼神照片的水结晶

看过寺庙护符照片的水结晶

看过鬼神照片的水结晶呈现出飞碟的形状。而看过寺庙护符照片的水结晶，形状与该护符很相似。

看过海豚照片的水结晶

海豚的智慧足以与人类的媲美，而且它能让人心境平和。这个水结晶的照片呈现出海豚身为海洋贵族的形象，颇有令人身心安宁的效果。

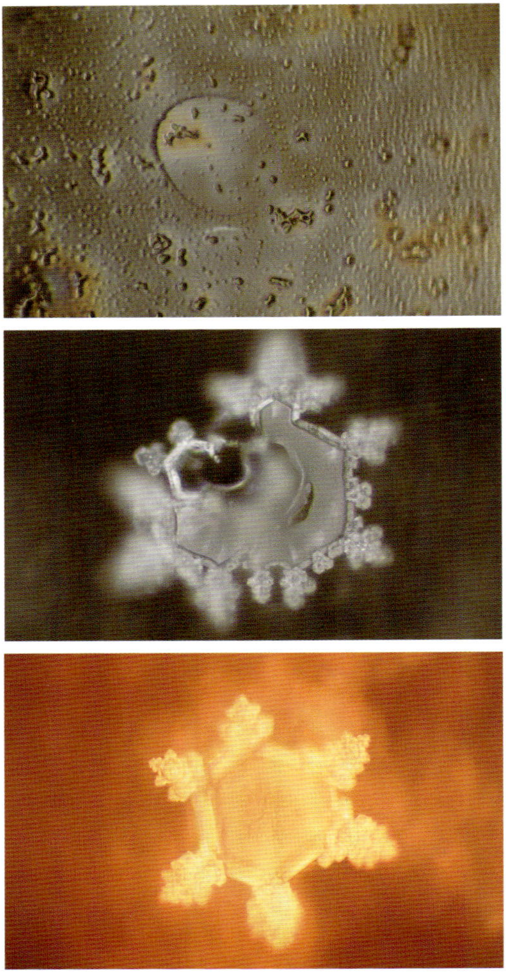

岛根县东部地震前后的地下水

地震前的地下水，仿佛有预兆般无法形成结晶，但是地震过去一段时间之后，水又会恢复原来的结晶状态。

我们都知道，音乐和语言其实就是一种波动。音乐拥有的波动频率在人耳最乐于接受的范围内。佛教仪式中的诵经，也会产生一种有治疗作用的波动。

那么，又该如何解释看了文字后，水结晶产生的变化呢？因为写在纸上的文字本身会发出一种固定的波动频率，而水能够感知这种频率。

水可以忠实地反映世上所有事物发出的波动频率，然后通过我们肉眼可见的形式呈现出来。看到文字的水，接收到文字的波动，并将这种波动给它留下的“印象”具体表现出来。

语言又是什么呢？据《圣经》记载，上帝在创造万物之前，“语言”就已经存在了。

我一直在想，语言会不会并不是人类创造的，而是人类向大自然学会了语言？

远古时代，人类还生活在蛮荒中时，或许为了自己的安全，通过倾听自然界发出的各种声音和波动，以确定是否有危险临近，才慢慢学会了自己的语言。

轻拂而过的风声、潺潺而流的水声、动物漫步草丛的脚步声……

人类通过辨别这种种声音，然后进行模仿，并与同类相互传递信息。这可能就是人类语言的雏形。或许他们最初只能使用两三个最简单的音，但随着文明的进步，在积累了更多的经验之后，词汇也渐渐丰富起来。

那么语言为何又因国家及地域的不同而不同呢？关于这一点，同样可以用语言源于大自然的理论来说明。

人类居住在不同的地方，自然环境当然就有差异。地域不同，自然环境发出的声音也就不同。灼热的沙漠、气候多变的欧洲大陆、闷热的南亚小岛，这些环境迥异的地方发出的声音肯定是不一样的。

四季分明的地方，拥有的声音相当丰富，用来表达大自然的灵动的语言也非常确切与多样。以象声词为例，就有“哗啦哗啦”“嘀嗒嘀嗒”“唰啦唰啦”等。

无论是用日语、英语、德语，还是用其他语言书写的“谢谢”，水看到后产生的结晶都非常整齐而美丽。与此相反，只要是看了带有侮辱性和攻击性的字，例如“混蛋”等字眼，不管是哪个国家的语言，水都散乱得无法形成结晶，而且模样惨不忍睹。

这或许就如《圣经》中巴别塔的故事提到的那样，在太古时代，人类曾经使用同一种语言。还可以进一步说明，虽然地域及自然环境存在差异，大自然的基本定律却恒久不变。

我拍摄到的水结晶大多呈现出均等的六角形，我想这是因为这种能形成结晶的水与大自然中存在的生命现象是一致的。

而面对人类无视自然定律创造出来的东西及受到污染的自然物，

水都无法形成结晶。

我曾试着拍摄东京的自来水，结果结晶竟呈现出非常可怕的形状。这是因为日本的生活用水都用氯来消毒，水的结构遭到了破坏。

水结冰后，水分子会排列得非常整齐，并形成串联在一起的结晶体，也就是我们看到的结构稳定的六角形。但是如果在水中加入一些非自然的成分，就无法形成美丽的六角形结晶。

“谢谢”、“爱”与“感谢”等都是人心底自然萌生的、符合大自然定律的“圣物”，也符合生命现象的基本原理，因此水在看到这些文字时，会呈现出美丽的结晶。

与此相反，类似“混蛋”等语言，也许原本在大自然中并不存在，是人类后天衍生出来的。包括“责怪”“伤害”“蔑视”等，应该都是人类文明出现之后的产物。

大自然中理应只有“爱与感谢”存在。只要看一眼周围的自然风景便能明白这个道理。树与花草互相尊重，共存共生。动物也是一样，狮子只有在肚子饿了的时候才会攻击其他动物。大自然中，既没有因在树荫下享受不到阳光而怨气满腹的花草，也没有企图独占食物的动物。

一九八九年，美国的科学杂志《二十一世纪》刊载了一位名叫沃伦·哈默曼的人写的论文。论文中提到，如果将人体中有机物质的频率转换成声音，相当于四十二个八度。果真如此的话，我们将最高频率的标准定为C大调的“do”，它就会高达五百七十兆赫兹，而一赫兹表示一秒钟波动一次。也就是说，人体产生的波动每秒钟高达五百七十兆次。换言之，人类其实隐含着超乎想象的能力。

四十二个八度的确令人难以想象，但这也恰恰说明，人类拥有各种各样的频率波动。人体就是一个由不同频率组成的“宇宙”，只依靠人体本身，就能演奏出一部恢弘的宇宙交响曲。

我在谈及波动和波动频率的时候，通常会采用自己独创的“八度理论”。

何谓“八度理论”呢？其实非常简单，就是万物具备的频率包含在跨越一个八度的七个音符内。

宇宙是由频率从高到低的不同事物组合而成的，就像钢琴上从低音到高音顺序排列的琴键一样，只要弹奏上面白色的琴键，八度音符即能流泻而出。

其中基音“do”和高一个八度的“do”之间的波动频率相差两倍。但是相差两倍的波动频率，同样都由“do re mi fa sol la si”这七个基本音符“构成”。也就是说，只要循环这七个基本音符，就可以表现从最高到最低的音域。

将所有的波动频率都转换成声音的话，会出现怎样的情形呢？

首先会产生一种共鸣现象。同样的波动频率就会产生共鸣。

用音叉做个实验，你很快就能明白。音叉是一种U形器具，击打其金属部分可以发出声音，通常用于乐器或者合音的调音。在音叉上敲出四百四十赫兹的“la”，然后让另外一种发声器同样发出四百四十赫兹的“la”，音叉就会发出“嗡嗡”的声音，这就是共鸣。

具有同样波动频率的东西，只要一方发出声音，另一方就能产生共鸣。

我们通常所说的物以类聚，指的就是这种具有相同波动频率的东西之间相互吸引、相互作用的“共鸣”。

如果平常仔细观察，会发现这种共鸣现象随处可见。

走在大街上的狗看到其他动物，往往无动于衷，但是道路的另一侧也有一条狗的话，它就会很敏感地做出反应。此外，还有一些狗听到救护车的警笛声以及沿街叫卖的喇叭声，也会大声狂叫，这都是一种共鸣。

人类也是一样。

具有同样波动频率的人会相互吸引，进而成为亲密的朋友。不同类型的人，距离再怎么近，也会彼此漠不关心，甚至相互排斥。如果一个你讨厌的人试图接近你，其实说明你们之间在某些方面是存在共鸣的。

日本武士道的最高境界是“不战而胜”。换言之，就是不与你的敌人产生“共鸣”。经过比试后获得胜利，毕竟还是与敌人产生了某种“共鸣”，所以层次要略逊一筹。

“波动”与“震动”不同，彼此之间如果没有共鸣的话，肯定会越走越远，因为我们无法接受并非“同类”的人。

拥有同样的波动频率会产生共鸣。有趣的是，即使波动频率不同，只要二者呈倍数，一样可以产生共鸣。用钢琴同时弹出四百四十赫兹的“la”和低八度的二百二十赫兹的“la”，我们就能听到非常悦耳的音乐。而这时在音叉上敲出上述相差一个八度的两个音，则会产生共鸣。

只要一个波动频率是另一个波动频率的两倍、四倍、八倍，或者二分之一、四分之一，都能产生共鸣，而且这个数字可以无限延伸下去。也就是说，无论波动频率相差多少，只要二者呈倍数，就可以产生共鸣。从另一个角度去理解，即不管二者的频率有多大差别，都存在共鸣的可能。

试想，世界上有很多人受到具有高波动频率的耶稣、释迦牟尼的影响。同时，也有人对那些无视社会规范、活得“奔放而潇洒”的诸如大盗石川五右卫门之类的人羡慕不已。

这其实并不矛盾，人就是会与不同阶层的人或事物产生共鸣。俗话说“清浊并饮”，也许这样的生活方式才更自然，更适合人类。

那么人与人之间的爱，又该如何用波动理论解释呢?

爱情也是一种共鸣现象。一个人的能力在波动的世界中归为第十级的话，那么此人只能和拥有第十级波动能力的人产生共鸣，或者憧憬与比自己“高级”的、波动能力为第十二级的人相恋。

我总在想，在这种情况下坠入爱河的话，人拥有的能力就可能发挥到极致。

如果一个人拥有十级的才能，却常常只能施展出五级，这时和拥有十级能力的人恋爱的话，能力必定能淋漓尽致地发挥到十级。倘若对方拥有的波动能力恰好达到了十二级，那么此人的能力肯定也将随之提高。

所以说，人在恋爱的时候，工作效率就会特别高。人只要一谈恋爱，无论是工作内容还是周围所处的环境，都会在不知不觉中有所改变。这样说的话，那些已经不再年轻，却依然在工作上充满干劲的人，也许是因为每时每刻都在“恋爱”。

当然，这里所说的爱，并不仅仅局限于通常意义上的男女相恋，也包括对人的崇拜，以及对他人人格的景仰等。

恋爱能提高波动频率，同时能让人逐步完善自身。所以各位，只要活着，就去“恋爱”吧。

自然界中的诸多事物，大多只能发出固定的波动频率，就像所有麻雀发出的叫声都千篇一律（虽然就麻雀而言，可能或多或少会有不同），猫狗的叫声也并无太多变化一样。

相对于它们，人类可以自由地唱出“do re mi fa sol la si”来，甚至还能创造出更多优美的旋律。你不觉得这是一个奇迹吗？

唯有人类可以和自然界中的万物产生共鸣，唯有人类可以和宇宙中的万物展开对话，赋予它们能量，并从它们身上获取能量。

但这一切却因为人们想法的不同，变成了一把双刃剑。如果人类所有的行为都是为了满足某种欲望，就会把破坏自然的能量全都散播到世界上。

如今的地球如此脏乱，都是因为人类自工业革命以来，一味地贪图生活的便利，贪婪地追求生活的奢华。人类创造出了所谓的消费社会，对自然环境造成了极大的威胁。

如今，新世纪已经来临，我认为，人类已经走到了需要彻底改变意识的转折点。

既然人类可以和世界上的任何事物产生共鸣，就一定能架起与自然共存共生的桥梁，不再污染自然环境。

要对整个世界发射出怎样的频率，要让地球变成一个怎样的星球，取决于我们每一个人。

那么你会选择一种怎样的生活方式？

只要心中充满爱与感谢，值得我们去爱去感谢的事物就会源源不断地降临，让我们的生活从此充满幸福与健康。如果人类发出的只有怨恨、不满或者悲哀的波动，世界又将如何呢？想必人类会越发深陷于仇恨，最后堕落到灭亡的地步。

要选择怎样的世界，将拥有怎样的人生，可能全在人们的一念之间。

水是不同空间的入口

现在先让我们暂时把书放下，倒杯水放在桌上，仔细观察一下。也可以不去倒水，只靠想象。此时在你的杯中，或你想象的杯中，映照出了什么？

杯中可能映照出房间的布置、窗外的景色，还有你凑近的脸庞。水能映照出各种颜色、光线、形状和风景。

此刻，你已经知道水的秘密了。当你凝视水的时候，其实水也在凝视你。不仅如此，你心中所想，包括你心中的“风景”营造的氛围，一切的一切，水都留存在了自己的记忆里。

那么就让我们多想一想水的事情吧。

各位，是不是因为水对我们来讲太平常了，才很少会想到它呢？在生活中，我们会喝水、洗脸，洗澡要用水，做饭也要用水。水在方方面面关心照顾着我们，但是我们却很少去想水到底为何物。

其实，没有比水更不可思议的物质了。而最不可思议的，是冰浮于水这种现象。物质从液体变成固体，构成它的分子以及原子的密度通常会增加。但水结成冰的时候，其分子结构虽然排列规则整齐，却仍留有很多空隙。而一旦变成液体，水分子就会以百万倍于呈固态时的速度剧烈运动起来。由于运动剧烈，分子之间的空隙越变越小，密度则相对增加。因此与冰相比，液态的水密度大得多。

当温度为四摄氏度时，水的密度最大。如果在充满空隙的水分子结构中加入活泼的水分子，温度又恰好是四摄氏度，其密度就会增加。再将其加温，密度就会因为水分子更加活泼而变小。

即使天寒地冻，湖底的水温也肯定保持在四摄氏度。这对生活在水底的生物而言，的确是非常容易生存的环境。

如果水不具备这种特性，也就是和其他物质一样，固态的冰沉没于液态的水中，真不知道这个世界将是什么样子。也许人类因此就无法在地球上生存了。如果气温下降至零摄氏度以下，海底或湖底的水完全冻结，会将生存于其中的所有生命逼上死亡之路。而现实情况恰恰相反，因为冰浮于水，即使海面和湖面上覆盖着厚厚的一层冰，冰面之下的生物也能得以延续生命。

另外，水还有易溶于某些物质的特点，也可以令其他物质悬浮在表面以便搬运。这也独具特色。

我们从自海水中提取纯净水之难这一点就可以知道，水是多么易溶解。半导体工厂或制药厂使用的基本是纯度非常高的“超纯净水”，但只要将这种水放进容器里，不纯净的物质马上就会溶入其中。所以说，要保持水的绝对纯净状态相当困难。大家也知道，即便是看似清澈的地下水或者山间的溪水，其中仍然含有大量的矿物质以及其他不纯净物质。

水这种特性，使得大海不断溶入生命所需的种种元素，从而成为“生命之源”。现在地球上的生物，几乎都诞生于大海之中。

所以说，水是创造生命之源。没有水，物质与物质便无法相互融合，也无法循环再生。水创造了一种令生命延续下去的秩序，创造了这个生机盎然的绿色地球。

人类自古以来便认为水是有生命的。世人通常都认可泉涌之地就是生命力旺盛之地的说法，还会在这样的地方修建神社，更有很多人前去参拜。而且在古代，有某些土地非常肥沃，被称为“沃土”。其实这种土地肥沃的地域，地下大多有很干净的水流过。

水是孕育生命之母，也是生命的原动力。这一切都有赖于水异于其他物质的特性。

当我这样看待不可思议的水的时候，却总是无法让自己相信，水也是存在于地球上的一种物质。

至于为什么地球上会有如此多的水，目前公认的说法是，大约四十六亿年前地球形成的初期，原始大气中的氢、氧等气体化合成水。水蒸气凝结变成雨，落到地面上，积聚成了海洋。

那么地球又是如何诞生的呢？在太阳系诞生之时，气焰般的火球飞速旋转，在中心部位诞生了红色的太阳，而剩余的尘埃和大气则汇集成地球以及其他星球。这时的地球还只是一块燃烧着的熔岩，然而其中已经包含氢和氧。在熔岩冷却形成岩块的过程中，这些氢便转变为水蒸气喷发了出来。

当然，也有大胆的学者对此提出反对意见。艾奥瓦大学教授路易斯·弗兰克博士认为，地球上原本并不存在水，水是宇宙飞来的冰块形成的。也就是说，水来自宇宙。

弗兰克博士之所以这样说，是因为在人造卫星拍摄的地球图片中，发现了几个非常可疑的黑点。他在调查后认为，这些黑点是落到地球上的小彗星。

这些小彗星原本是一个个由水和冰组成的重约一百吨的球状物。它们以大约每分钟二十个、每年一千万个的数量飞临地球。以此推测的话，这些冰块早在四十亿年前就已经开始“光临”地球，是它们形成了海洋，而且直到如今仍然在向地球搬运着水和冰。

冰块一样的彗星是因为地心引力才落到地球上，但太阳的能量使之蒸发为气团。它们在降落到距离地球约五十五千米处时，与大气层的空气混为一体，随着风变成一颗颗冰块继续下落，再进一步转化成雨水落到地面。

数年前，美国国家航空航天局与夏威夷大学承认弗兰克博士的说法可信度很高，并通过媒体大幅报道。但大部分学者仍然否认这种说法。

如果公开承认这种说法，恐怕图书馆的相关藏书都必须要改写，关于人类起源的进化论以及其他与地球生命、历史相关的学说也都要重新解释。

众所周知，假如没有水，也就没有生命的诞生。如果作为生命之源的水的确来自宇宙，就相当于承认包括人类在内的所有生命都是外太空的产物。

不过，水来自地球之外的说法，倒比较容易解释其具有的几个不可思议的特性。

为什么冰能浮于水？水为什么具有如此易溶于其他物质的特性……这种种不可思议的现象，如果从水原本就不属于地球的观点出发来解释，便好理解得多。

水来自宇宙——这一似乎有违常规的理论，或许很难令人信服，但确实是一种充满魅力、让人兴奋的说法。水结束在宇宙的漫长旅行后，又开始了它在地球上的小小旅行。

自宇宙飞临地球的大冰块，先是化为云，而后变成雨。雨在洗净山峦后沁入泥土，摄入丰富的矿物质成为地下水，然后变成涌泉，重新回到地表，汇成河川。从河川流入大海的水，经过太阳的蒸发，又回到大气中变成云，形成云层后，重又以雨的形式回归地表。

在“旅行”期间，水带着地球上的种种矿物质，通过循环孕育了生命。大气中的二氧化碳也神奇地融入海水，促进光合作用，让大海中的生物链维持着非常微妙的平衡。

生命是在海中诞生的。据说在距今三十八亿年以前，生物开始进化，经过光合作用后形成藻类，并释放出地球上最初的氧气。氧气吸收阳光中的紫外线，创造出环绕地球的生命面纱——臭氧层。

据称，生命在四亿两千万年前开始在陆地上出现。这些生命全都依赖氧气及臭氧层，才能从幽暗的海底世界解放出来，获得新的生活方式。

一种说法认为，人类的始祖，也就是原始人在约两百万年前诞生于非洲。如果将地球四十六亿年的历史换算成一年，那么人类基本上是在一年即将过去的除夕晚上八点才呱呱落地。氧气及臭氧层的形成，最终造就了适合人类生存的环境。

由此可知，是水孕育了地球上的生命。水通过溶解各种物质，扮演了从山川到海洋源源不断输送生命能量的角色。水能扮演这种角色，全都依仗于它具有其他物质不具备的特性。

然而这一雄壮生命诞生之旅的展开，难道真的是一种偶然吗?每每想到这段始于远古时代的生命诞生史，我便觉得水飞临地球，引导进化并造就完整的生态体系，一定有伟大而神秘的意义。

日本筑波大学的名誉教授村上和雄，因为解读了人体内被称为

"肾素"(renin)的遗传基因密码而闻名于世。他曾说，越是进一步了解这一遗传基因的信息，越是要承认，其实是某种特定的存在使得如此细微的空间里，竟然蕴含了如此丰富缜密的信息。村上教授说，这让他内心充满了深深的敬意。于是他将这一伟大存在称为"Something Great"。

围绕水写就的壮丽诗篇，让人感觉如果不提"Something Great"，似乎就无法言尽其丰富的内涵。于是生命就这样沿着宇宙的意志不断地拓展宏伟蓝图。

那么，来自宇宙的水又是带着怎样的信息降临地球的呢？也许它的目的就是想在地球上展开其蕴含的生命模式，那恰恰也是生命的一种实态。

从天而降的雨水经过数十年乃至数百年的岁月，渗入泥土成为地下水。瑞士研究河水长达三十年的苏黎世联邦理工学院教授琼·戴维斯将这样的水称为"wise water"，即"智慧之水"，而刚刚落下的雨水则被称为"幼稚之水"(juvenile water)。

从天而降的雨水在经过泥土向下渗透的过程中，会获得很多来自矿物质的信息，从而成为"智慧"之水。

琼·戴维斯女士曾经担任大学教授长达三十年，退休之后仍从事对河水的研究，是一位非常优秀的女性。我曾在瑞士的研讨会上做过以水为主题的演讲，就在那次会上，琼教授也发表了卓越的研究成果。

琼教授正在研究关于水资源处理的问题。目前，世界上大多数国家都采用管道供水的方法，这种供水系统其实对人体并无益处。水经过高压处理后再由管道输送到每家每户，其分子结构会遭到破坏，让水损失很多矿物质。

如何把结构没被破坏的水提供给更多人，如何才能建立穷人也能用得起的简易供水系统，这些都是琼教授正在研究的课题。她曾经提出一种使用水晶的方法，具体做法是在水中放入小水晶，这样便能长久地保持水中的矿物质不致流失。如果用这种水灌溉植物，植物会生长得非常好。另一种方法是使用磁铁，或者在水龙头出水口加装可以使水呈涡状旋转的装置，这些都是她长年研究的成果。也就是说，她研究的目的在于如何让饮用水更加接近天然水，从而让人获得更多对身体有益的东西。

关于水结晶的研究，琼教授说：

“我听说很多人都在从事水的研究工作，相信这样的研究能给人带来一些启发。启发之一就是我们要对水心怀更多的敬意；其二是通过这样的实验我们才知道，水其实能对许多非常纤细敏感的物质产生一定的反应，因此我们通过对水结晶更进一步的研究，可以告知科学家或有关单位，现有的水资源并未得到相应的保护。

“另外，在保健或者医疗领域，这项技术也应该得到应用。过去我们不太重视水的物理性质。例如，大家普遍认为富含矿物质的水就是好水,却不知矿泉水中的矿物质也会造成动脉硬化。关于这一点，很少有人做过相关的说明。另外矿泉水中加入了碳酸，而碳酸的酸性较强，其实对人体并无益处。不管怎样，人要小心的不该是天然流动的水，而是装在瓶子里的水，因为一切水都有流动的欲望。”

她还说：

“无论如何，最重要的是我们要找回对水的崇敬之心。身处现代社会的我们，对水的敬意已经微乎其微。在古希腊，人们对水的尊敬程度则要深得多，甚至产生了很多守护水的神话故事。但是神话曾一度被以非科学的名义排斥在神圣的殿堂之外，人们只是将水视为一种单纯的物质，认为只要以科技手段净化就可以了。可是通过科技手段净化过的水绝不同于清澈的水，根本无法形成美丽的结晶。其实水需要的不是净化，而是被尊敬。”

如果不是与水长年打交道，恐怕说不出这么一席话。像琼教授这样具有非凡研究成果的学者，能对水满怀敬意，并对我的水结晶研究充满兴趣，对我来说真是一种莫大的安慰。

琼教授后来又给了我一些鼓励：

“假如水结晶研究的物理性能够确立，肯定能成为相当具有说服力的研究成果，到那时就可以大声告知全世界了，就像瑞士在水的相关研究上受到世界的重视一样。”

我刚好也想以瑞士为根据地，架构一个以水结晶研究为主题，并进一步把文化性研究作为重点的中心。得到琼教授这样一番鼓励，我顿时充满信心。

水能记忆信息，还能通过在地球上循环来传达信息。由此可知，来自宇宙的水包含着很多关于生命的答案。而解读水的秘密的唯一方法，就是观察它的结晶。

在目睹了很多美丽的水结晶后，我仿佛真的看到了生命的真谛。看到“谢谢”二字的水结晶整齐而美丽，看到“爱与感谢”字样的水结晶庄严而素美。这都是水呈现出来的生命的光辉，也是来自灵魂深处的生命的真实形态。

更进一步说，我们见到的水的结晶过程，其实也是生命创造的过程。水会因为我们的注视而随时变化表情，我们的视线就是它变化的动力：当我们对它投以善意的注视，就等于给了它某种勇气；而当我们的目光充满敌意或恶意时，它会顿失动力。

以前，我曾在自己负责的杂志上建议读者做这样一个实验：在两个瓶子里装上米饭，天天对其中一个瓶子说“谢谢”，对另一个瓶子则天天不断地说“混蛋”，一个月后看看它们会发生什么样的变化。于是，不少小学生每天放学后便开始对两个瓶子里的米饭说话。过了一个月，对它说“谢谢”的瓶子里的米饭开始发酵，而对它说“混蛋”的瓶子里的米饭则腐臭变黑了。

我在数年前出版的水结晶摄影集里介绍了这个实验，结果全日本有几百个家庭效仿，每个家庭都得出了相同的结果。其中有一个家庭，尝试着做了与别人不尽相同的实验。

这个家庭除了分别对两个瓶中的米饭说“谢谢”与“混蛋”，还另外准备了一个放米饭的瓶子，但是既不贴标签，也不和它说一句话。总之，就是对它置之不理。

结果如何呢？置之不理的那个瓶子里的米饭，比被骂为“混蛋”的米饭更快地腐烂了。这个实验被很多人重复了很多次，都得到了相同的结果。也就是说，对米饭置之不理比鄙视它伤害更大。

这个实验也给我们一个很大的启发，那就是要多关爱孩子，多和他们说说话。所以，现在正处于孕期的妇女，请多关心你们腹中的胎儿，要经常温柔地和他们聊聊天。

对自己房间里的绿色植物也一样，如果能多注意到它的美丽，同时多赞赏几句，相信它会更加茂盛、更加迷人。对自己养的宠物或昆虫之类，也要记得和它们多说说话才好。

我真心希望通过这本书，让更多人关注水，对水充满敬意。那样的话，水一定会在我们眼前呈现出更美丽的结晶。那时，即便是一个小小的结晶体，也会让你拥有一个异常美丽的世界。

相信我们都期待着那样的结果。大自然赋予每个人相同的创造力，让人们拥有并自由地使用。到那时，我们每个人都会被它的温柔默默守护。

生命的记忆随着它的载体——冰块自宇宙而来，由此诞生了生命，又诞生了人类。那么，现在就让我们面对水，为它注入生命的力量吧。你的意识、你的视线、你的爱心、你的微笑……这一切都能为水注入新的生命活力，从而创造全新的宇宙。

意识创造奇迹?

被水不可思议的魅力吸引之后，我反复开展了很多与水相关的实验，并且有幸接触到来自世界各地的各种各样的水，看到了它们呈现出来的各具特性的美丽面貌。

但是同时，全球水污染问题的现状也毫不留情地暴露在我面前。世界卫生组织预言，如果二十世纪的战争是为了争夺石油，那么二十一世纪的战争很可能是为了争夺干净的水。

前面曾经提到过，因为用氯来消毒，日本所有城市的自来水都无法形成美丽的结晶。而始于二十世纪英国伦敦用氯消毒自来水的方法，在日本已经沿用了五十年。

与自来水不同，泉水或河流上游的天然水都能形成美丽的结晶。这些能呈现美丽结晶的水，都是五十年前自天而降的雨水，它们变成地下水后又流回地表。而那时的日本已经正式进入了工业化社会。

可想而知，雨水污染已是整个世界普遍存在的问题。实验发现，在雨水污染严重的日本城市采的雨水样，不要说形成结晶，就连样子都极其丑陋。这让我们了解到，工业污染不仅在不断地污染循环水，还在不停地向地球散播有害物质。

好在还有救。随着人们环保意识的增强，水也开始逐年恢复美丽的面貌。

而污染归根结底是人们的意识造成的。今天世界各地出现的环境污染问题，都是人类贪图生活便利的自私心理所致。

通过水结晶的照片，我们知道水纯净得好似一面心灵的镜子，这面镜子似乎同时在指引人类未来发展的方向。

人类的未来将何去何从？我们将作为什么样的角色来捍卫地球？面对这些问题，我不禁生出一些想法。

首先我们知道，人类的本性原本是美好的，还拥有卓越的能力，我们应该停止继续扮演恶人的角色。或许我们过去一直低估了自己的能力，人类其实拥有非常强大的力量。

目前已被证实的化学元素大约有一百零八至一百一十种，但我想事实上肯定不止这么多。在自然界，恐怕人体拥有的元素是最多的。

目前已知的构成人体的元素大概有九十多种，但我相信人体内一定还有尚未被发现的元素存在。或许随着人类的不断进化，还会产生新的元素，使人体的构造更趋完美。

越是高等的生物，体内拥有的元素就越多，而且还会与日俱增。与人相比，植物的元素就要少得多。含有的元素少又会怎样呢？虽然包括人类在内的所有动物都有“痛感”，但只有人类和与人类相近的高级动物才有悲伤或感动等高级情感。

如果能确定人类来自宇宙，那么认定人体拥有宇宙所含的全部元素就可以成立。

佛教说人有一百零八种烦恼。所谓烦恼，就是我们生而为人的迷惘、执着、忌妒、虚荣等心态。烦恼又衍生出痛苦。我总在想，人的一百零八种烦恼会不会和一百零八种元素是一一对应的呢？

我率先在日本介绍的波动测定仪也许能证明这种猜测。所谓波动测定仪，就是测定物质的波动，然后将其频率原封不动地传递给水的仪器。

我用这种仪器测了很多人的波动，发现人处于消极状态时，其情感波动正对应了不同元素的波动。

例如，人在烦躁时的波动和水银的波动是一致的，在迷惘时的波动与铁的波动相同，而人际关系则对应锌，等等，并且彼此之间都有联系。

近些年有人指出，使用铝质的锅或餐具可能会导致阿尔兹海默症。其实这是因为铝的波动几乎与人的悲伤、寂寞等情感的波动一致。因此我推测，不是铝制品中的铝导致阿尔兹海默症，而是老人寂寞或悲伤的情感引起了铝的共鸣，进而导致了这种病症。

前面介绍过的杰出的瑞士水质研究专家琼教授曾说过一段发人深省的话：

“有位物理学家做了一个实验，分析太阳系行星的位置会对水产生什么样的影响。他将几种不同的矿物质分别放入水中，观察当行星运行到特定位置时，含有何种矿物质的水会被吸附到吸水纸上。

“结果发现，当土星强烈影响地球时，含铅的水会发生反应。此时，只有含铅的水会被吸附到吸水纸上，而含有铜、铁、银等矿物质的水则没有任何变化。

“从这个结果可以推测，土星和铅息息相关。而金属与人的情感或情绪是会产生某种共鸣的，从这个角度来看，土星与人的愤怒情绪有某种很强的关联。

“这就可以解释占星术中提到的各种行星的性格，其很可能与金属的变化相关。”

这个结论和我主张的一百零八种烦恼对应一百零八种元素的观点颇为相似，也让人很感兴趣。太阳系有九大行星[①]，九的十二倍刚好是一百零八。如果用元素周期表去换算，差不多就能知道哪个行星对应哪种元素了。

写到这里的时候，我偶然看到一栏电视节目提到，所有元素都来自于宇宙爆炸时的超高温。这也是个引人深思且有趣的话题。

---

① 作者写作该书时，太阳系有九大行星。2006 年，国际天文联合会将冥王星划分为矮行星，排除出行星行列。

人只要活着一天，便无法从一百零八种烦恼中解脱出来。该如何对待纠缠不清的种种负面情感，是活出充实人生的关键。

到底要如何面对心中的愤怒、悲伤或怨恨等负面情感?

首先要知道，大可不必去否定我们的任何情感。人的消极情感与生俱来，无论谁都是带着自人类诞生以来的记忆来到这个世界上的，这其中自然包含着消极的情感。

但是话说回来，被极度折磨身心的消极情感困扰的确不好受，不管是不是暂时的。那么，到底要如何缓解种种消极情感呢?

了解波动法则，答案便一目了然——只要发出与消极情感相对的波动频率就可以。当两种情感的波动相遇并相互抵消后，消极情感就会消失。

数年前，日本某大学的人曾发明了“以音消音法”，原理是针对噪音发出抵制的声音，从而成功让电话周围保持安静。具体办法是测出声音的波形，然后通过放音设备向它发出具有逆向波形的声音，这样就能消除某些杂音。这项技术目前已被应用到消除汽车引擎噪音上。

人的情感也一样，既有消极情感，也有积极情感。以下两相对应的情感，就具有完全相反的波形。

怨恨———感谢

愤怒———温柔

恐惧———勇气

不安———安心

焦躁———沉着

压力———平常心

完全相反的两种情感，具有波形相同但方向相反的特性。这正说明，每个人都有两面性。

大家都知道，越是性急的人，情感也越脆弱。还有，可能我们常常听说，某个众人眼中的大好人，忽然有一天铤而走险成了罪犯。报纸上也经常有这样的报道——有些男人与女性交往时非常温柔，而一旦有一天女人提出分手，男人就会忽然恼羞成怒，不断地打电话进行骚扰，甚至变成彻头彻尾的跟踪狂。

世界上既没有人格完美无缺的人，也没有坏到骨子里的人。同时具备好与坏两面，或许才是所有人的真实面目。

因此，当我们受困于某种消极情感时，便可以有意识地让自己心中滋生出积极情感，以消除消极情感。

比如因心有怨恨而病魔缠身的人，应该寻回那份感激之情，以治愈自己身心的伤痛。

然而心中充满怨恨的人，实在难以很快找回感激之情。这时候，就可以通过“代为感恩的人”，用各种各样的方法为身心的痊愈提供某些帮助。所谓“代为感恩的人”，就是像字面意思表达的那样，让别人替代自己去感恩。

例如，法国著名的许愿泉因为其泉水可治愈病痛闻名于世，这不正是因为泉水中饱含着感谢之情吗？相传心中充满怨恨而病魔缠身的人，只要喝下这里的泉水，就会神奇地痊愈。

顺势疗法的原理也一样。

为什么在理论上只要将物质稀释到其分子可以忽略不计的程度，就能将原本具有毒性的物质变成具有治疗功效的药物呢？

这是因为经高度稀释后，有毒性的物质几乎已不复存在，留下的只有其波动的信息。

药物这种东西原本对身体就未必好，虽然它可以消除病痛的症状，但在某种程度上也具有毒性。

镇痛剂这种药物的波形与疼痛的波形正好相反。人类制造镇痛剂通常是将几种物质混合，让它产生与疼痛相反的波形，然后再注射到老鼠身上。实验后如果没什么不良反应，便可以让人服用。

但这些药物进入人体后，几种物质混合产生的波形将随之消失，每种物质都会恢复到混合前的样貌。这时，每种物质又会各自拥有不同的波形，只要这些波形足以破坏其他细胞，就会对人体产生副作用。

药物的确可以有效地治疗病痛，但是药物为什么会具有治疗效果，目前还没有十分明确的定论。从波动理论来看，医疗领域简直像另一个不可知的世界。

医院的某些外科手术曾尝试利用强烈的波动来杀死被破坏的细胞。我们知道，通常需要用这种治疗方法时，人体的脏器或者细胞已经到了严重受损的程度。人体的正常细胞遭到破坏时，有点像自楼上坠落地面的瞬间，会令人体的波动频率剧增到原来的数百倍。这种状况真的非常糟糕。

波动频率的急剧变化会令人产生剧痛感，有时还会因此丧命。在这种情况下，只能通过施加强烈振动波的方法达到治疗效果。

我认为治病救人的医生同时还应该是哲学家。古时候为人看病的很多都是巫师或和尚，这些人看病的方法是引导患者的生活起居符合自然常规，从而唤醒病人自然痊愈的能力。

如果医学能在治疗人的病痛之外更进一步，了解并掌握人的意识，也许有一天我们就不再需要医院和医生了。到那时，生了病的人只要向街头的哲学家咨询一下人生的错误与挫折，便可以放心地开始正常生活。说不定将来的医生都会转型为人生顾问。

我从许多健康咨询病历中发现，很多病其实都是由消极情感所致。只要消除了造成疾病的消极情感,很多人都能恢复健康。所以说，尽量保持一种积极正常的心态非常重要。

目前医学界已经证明，保持一种积极的心态能增强免疫力，让身体更快地恢复健康。有的医生甚至还让一些癌症患者通过登山等活动了解生命的意义，提高免疫力。

另外，一些医疗机构还提倡不仅要对症下药，还要多了解病人的心理及生活状态，进行“整体治疗”（Holistic Health Care）。日本目前就设有推行整体治疗的协会。

人们只关心眼前所见的时代已经过去，越来越多的人开始关注人的心灵的重要性。我个人认为这是一个非常好的趋势。世界确实在朝着这个方向迈进，也许在二十一世纪，重视人类心灵深处的思潮将成为主流。

人的肉体是由水构成的，人的精神却是由意识构成的。保持水的清澈与顺畅，不仅是最好的保健方法，同时还能让人的精神洁净而清明。

想不想让你的身体里充满美丽的水结晶呢？这一切全都取决于你有一颗怎样的心灵。

爱是治疗一切的良药。发现这剂“良药”之后，我就开始不断倡导“爱具有免疫力”。爱能战胜一切消极情绪，是恢复身体活力的最佳挚友。

但是在长期研究水的过程中，我不得不对自己的观点做一些修正。因为我发现免疫力不单单来自“爱”,更准确地说应该是源于“爱与感谢”。这一点通过下面这个实验可以得到证实。

为了解电磁波会对人体产生怎样的不良影响，我把蒸馏水放进微波炉加热，拍下它的结晶照片，并和同样加热过但曾看过“爱与感谢”字样的水的结晶照片进行比较，发现前者的结晶已经完全被破坏，但是后者仍然能形成结晶。由此我们可以知道，“爱与感谢”这句话的波动可能足以抵抗电磁波的负面影响，从而具有免疫力。

前面我提到过，看过“爱与感谢”几个字的水能够呈现出异常美丽的结晶。当然，只是看过“爱”字的水结晶也很美丽，但与前者相比缺少了那份淡雅而神圣的气质，没有那种如钻石般璀璨的光芒。

比起感受过“爱”的水结晶，在“爱与感谢”影响下的水结晶更接近“感谢”的形状。也就是说,“感谢”的波动更有力,影响更强。

“爱”通常是一种积极主动的能量。无条件地发自内心的关怀，就是爱。

与“爱”相对应的“感谢”则是一种被动的能量。我们“感谢”的往往是他人对自己的施予，“感谢”的是现在自己拥有的生命。正如尾崎放哉的俳句所说：“没有容器装盛，以双手恭捧。”用双手恭捧的，不正是感谢吗？

爱与感谢犹如阴与阳。爱是太阳，感谢是月亮；爱是男人，感谢是女人。

那为何属于阴性的“感谢”的能量，要强过属于阳性、积极主动的“爱”呢？

这个问题曾令我百思不解，直到有一天一个想法忽然浮现于脑海。这个想法对于“人到底该如何生活”也有非常大的启发。

爱与感谢究竟存在怎样的关系？在这里，我用水来说明。

水分子由两个氢原子（H）和一个氧原子（O）构成。H_2O 就是水分子的分子式。如果爱与感谢也像水一样以二比一的比例构成，那么从影响力的大小来看，我们可以很清楚地知道，感谢为二，爱为一。感谢的能量比爱要大一倍。

两份感谢加上一份爱，不就是人类本来的生活方式吗？

我曾在某次演讲中提到了这件事。演讲结束后，有两位女子走过来对我说：

“您的一席话真是太令人感动了。不知道是不是就像我们只有一张嘴用来说话，却有两只耳朵用来倾听一样呢？”

我听了她们的话，觉得很有道理，于是回答：“没错，的确如此。”她们为我上了很好的一课。

放眼整个自然界，被动能量似乎更强些。比如说海里的鱼通常会产下大量的卵，但未必全部能孵化。实际上，可以孵化成小鱼的只有很少一部分，大部分卵都成了其他鱼的食物。

那么在古人的生活中，爱与感谢的比例是否也是二比一呢？我觉得，人类似乎从来就与这个法则背道而驰。

的确，自古以来人类就在不断歌颂爱的美好，对爱的强大力量也有非常深刻的感悟。但正是因为过分将目光集中在爱的能量上，以致发展成一种一味强调主动积极的文明。

过去我们忽略了很多肉眼无法看见的事物，被就在眼前的清晰且唾手可得的东西蒙蔽，还在为得到更丰富的物质生活不停地相互争斗。迄今为止的人类历史几乎是一部争端不断的战争史，尤其是二十世纪的人类历史，更是充斥着不断的纷争。

的确，这些行为必定都出自于爱，为了心爱的人、为了所爱的祖国……然而只要持续这样的生活，争斗就永无停歇。

如今，人类这种生活方式再也行不通了。我们为了过上更富足的生活，已经牺牲了很多东西——森林遭到破坏，干净的水源在逐渐枯竭，就连土地也被分割、销售。

未来我们需要心存一份感谢，这必须从知道“满足”做起。要为自己能生活在受大自然眷顾、资源丰富的地球而感谢，也要感谢孕育了我们生命的水，更要感谢我们能呼吸到新鲜的空气。能活在这样的世界是多美好的一件事啊！

睁开眼睛，你会发现这个世界充满了值得去感谢的人和事物。

如果我们真能心存感谢，充满体内的水就会更加清澈明净。而你，也将变得和晶莹剔透的水结晶一样璀璨美丽。

世界能否在一瞬间改变？

大家知道得到纯净水的方法吗？或者说，你知道纯净的水到底在哪里吗？

是阿尔卑斯山麓的冰，是两极的冰，还是市面上出售的标榜为“纯净水”的瓶装水？

无论你的答案是什么，其实都没有触及问题的本质。不管多么纯净的天然水，如果你心不善，这水也绝不会变得纯净。

你的心是否透明清澈？你有没有工作上的困扰？家中有没有让你难以启齿的事情？如果你心中怀有未解的情结，再甘甜的水喝起来也会觉得寡淡无味。

而运动后大汗淋漓时喝的水，即便是没什么特别的白开水，都会令你感觉无比甘美。这正说明最重要的是你的心。

我不是在这里提倡唯心论。相信各位已经明白，同样是喝水，心怀感激时喝跟心情浮躁时喝，会让同样的一杯水变成截然不同的东西。

我们的所思所想，时刻都在影响着这个世界。如果我们能充分地展现更多的创意及语言才能，世界上必将产生更多美好的事物。而如果我们对这个世界发出破坏的信息，地球说不定会破坏整个宇宙。

如果你也有这样的体会，就不要再怨天尤人，抱怨自己的际遇，或者将自己的不幸怪罪到别人身上。现在，就在这个瞬间，你足以改变你的世界。而你所要做的只有一件事，那就是做出一个选择。

你是选择到处充溢爱与感谢的世界，还是选择充斥不满与病痛的世界，全在你一念之间。

佛教认为，世界是瞬息万变的，从来不会有一刻的静止。从波动的原理来看，维持波动的能量也必须时刻保持流动畅通，不能有任何的停滞。

“瞬间即世界”的想法会带给人生某种希望。我们不必留恋过往，因为凭借自我努力便能把握未来。其实身处此时此地的你，手中已经握有那把决定一切的关键的钥匙。

为了说明人的意志对这个世界到底能产生多大的影响，据说有人通过“消云游戏”去验证，想必就是用想象力去使云消散。

找个晴天，从飘浮在晴空中的无数云朵中选定一朵作为目标。

如果选择的是夹杂在很多云朵中的小云朵，可能更容易令其消散。

做“消云游戏”时，最重要的是要做好心理准备。首先要对自己深信不疑，相信自己绝对能让云消散，此外就是不要太过专心致志。因为这有点像逆向思维，如果太过专心致志，恐怕反倒无法适度传达能量。

做好心理准备之后，在脑中想象你从内心向云朵发出了肉眼看不见的波。记住要尽量让能量准确地对准你的目标，也就是那朵你希望消散的云，然后对云说：“云不见了。”同时再对发出的能量说：“谢谢你。”只要按照这个顺序做，云也许就会慢慢变淡，并在几分钟之内消失不见。

不论这个游戏是否可以验证，许多人都承认，人类的意志具有强烈影响万物的能量。云是由水构成的，应该更容易对人的意志产生反应。

在过去，如果说人的意志可以影响物质，总会引起“不科学”的非议。但现在，最前沿的科学已经发展到不进入精神或意念等非肉眼可见的领域，便无法解释很多东西的境地。

从量子力学开始，到荣格学派的分析心理学，再到遗传基因学派，都开始肯定在我们居住的三维空间外另有一个肉眼看不见的世界。据说那个世界不仅看不到、摸不着，就连时间都不存在。

因研究量子力学而闻名世界的戴维·玻姆将我们可以感知的这个世界称为“明在系”，并且认为在“明在系”背后另有一个“暗在系”

的世界。“暗在系”的世界了解“明在系”世界的一切,而生活在“明在系”世界的事物则记载了“暗在系”世界的一切信息。

也许这有点难懂，但其道理与“一沙一世界”有些相似。从一小部分宇宙可以窥见整个宇宙的全貌；一个人的身上就记载了宇宙全部的信息，甚至其中一个细胞上都刻画着整个宇宙。

而所谓整个宇宙的信息，自然包含了时间。现在的你，身上记载了全宇宙的信息，包括它过去、现在、将来的所有信息。世界瞬间万变，这绝非耸人听闻。

但我们“现在”所说的“瞬间”到底是指什么？用物理学又如何去解释？

玻姆认为，每一个“瞬间”在宇宙展开的新的投影就是“现在”，而下一个“瞬间”又会重新展开投影。简单地说，就是每一个“瞬间”都将出现一个不同的世界，只不过“瞬间的世界”会影响下一个“瞬间的世界”，由此相互联结成一个相似的世界。

从这种理论来看，世界不仅瞬息万变，而且还在不断地更新，而我们的意志正在协助这个世界更新。了解这一点，也许你对人生的看法将从此改变。

前面说的那些可能有点不太好理解，甚至光在脑子里想想就觉得乱成一团，而水结晶能将这些抽象的东西具体地呈现在我们面前。这个世界无时无刻不在变化，水却能在第一时间掌握它的变化，并且传达给我们。

我在用波动测定器测量水时发生的一件事，可以用来印证我的说法。

那一天，与日本相隔甚远的波斯湾爆发了多国联军攻击伊拉克的海湾战争。开战当天下午,我碰巧在东京湾测量自来水的波动情况。结果发现，当时水中所含的汞、铅、镉等对人体有害的物质的波动值高得异常。我有些摸不着头脑的感觉，还以为机器出了故障，反复地进行检测，结果却完全一样。

这个奇怪的检测结果令我百思不解，一直到第二天看了报纸后才恍然大悟。报纸头版大篇幅报道了海湾战争的消息，据说第一天攻击伊拉克所用炸弹的数量，就相当于整个越南战争使用的炸弹。

炸弹在距日本数千公里外的地方爆炸，我却几乎是在同时检测到了可能受炸弹爆炸影响产生的有害物质的波动。这可能吗？

我不是说在波斯湾四处飞散的有害物质一瞬间就飘到了日本，而是说在地球另一端发生炸弹攻击时，炸弹具有的有害波动在很短的时间内便传遍了整个地球。

也就是说，波动应该存在于我们肉眼看不到的世界，以及我们居住的三维空间之内，所以水才能觉察到地球上任何地域发生的事情，并迅速“告知”我们。

那天我并没能拍下当时的水结晶照片，如果能拍下，相信会更加具有说服力。

我们所在的世界之外另有一个不同的世界，从那个世界反观我们这个世界，一定能观察到一些异同。

英国的罗伯特·谢尔德雷克博士致力于研究如何与肉眼看不到的世界联系，从而为人类开启一种全新的世界观。他在剑桥大学获得生物化学博士学位后，留校开设了生物化学及生物学课程，同时以英国皇家协会特别研究员的身份活跃于这一领域。

谢尔德雷克博士在二十多年前发表的论著中阐释了他的理论，却被当时的科学杂志《自然》评价为“应烧毁丢弃”。尽管如此，他的理论依然深入人心。有很多人做了相关的实验，并提出了轰动的话题。

谢尔德雷克博士到底提出了怎样的理论呢？

我们常说“有一必有二”。比如飞机坠毁事件，有时会接二连三地发生。即便是社会与历史也一样。从人类历史的长河来看，许多悲剧都曾不断重复上演。为什么同样的事件会接二连三地发生呢？谢尔德雷克博士以一种科学的态度解释了其中隐藏的秘密。

我们知道，所谓科学的态度就是将“物”还原为一种现象进行考察。然而，谢尔德雷克博士的论点却与此背道而驰。

他认为，同样的事情发生过几次之后，就会形成事件的“形象之场”,只要与这个“形象之场”产生共鸣,同样的事情就能再度发生。这里的“形象之场”并非一种能量传达的信息，而是与家装的室内设计图有点类似。

他提出的也是一种“共鸣”理论。他认为,不止声音会产生共鸣，事件也会产生共鸣。他将连续发生同类事件的场所称为“形象形成场”，将发生的同类事件称为“形象共鸣”。

他的观点遭到了《自然》杂志的否定与批评，却得到了一些新科学支持者的好评，从而掀起了激烈争论。的确，谢尔德雷克博士的论点不仅奇特，还远远超出了人们通常能理解的科学范畴。然而，许多谜一样的事件的发生，却可以据此得到很明确的解释。

为了鉴别谢尔德雷克博士提出的“形象共鸣”理论的真伪，英国的电视台进行了公开实验。

首先，电视台准备了两幅画，一幅是一个戴帽子的女人，另一幅是一个蓄着胡子的男人。这两幅画不仔细看并没有什么特别，只不过有很多颜色夹杂其中，但其实画中有画。接着，电视台在电视上揭晓了蓄胡子男人这幅画中隐藏的另一幅画。而在揭晓这一答案前后，电视台分别做了两幅画的辨识实验，目的是观察答案揭晓前后，观众回答的准确率会发生怎样的变化。

当然，两次实验选取的观众是不同的，相同的是他们都没有看过电视播放的答案。

结果如何呢？猜对蓄胡子男人那幅画中隐藏的画的人，要明显多于猜对戴帽子女人那幅画的人。为慎重起见，电视台还使用了与英国无关的其他国家的人物形象。结果是参加播放后的实验的观众猜对的比例，竟然比播放前多了三倍。

这个结果正说明，许多已经知道答案的人给了那些素不相识的人某种暗示。用“形象共鸣”理论解释就是，在观众那里形成了能正确识别画中画的“形象之场”，从而使答案的准确率得到了大幅提高。

谢尔德雷克博士的理论还可以解释遗传现象。也就是说，遗传不仅仅是遗传信息的复制，同时也是因为有“形象之场”的存在。其他诸如被称为“同时性”的巧合,或者荣格提倡的集体无意识及“原型”，都可以用这一理论解释。

谢尔德雷克理论最重要的一点是，一旦形成“形态形成场”，其传播就可以跨越空间与时间的界限。换句话说，只要存在“形态形成场”，就可能在瞬间影响到其他地方，这也可以算是世界瞬息万变的一种表现。

第一次听到谢尔德雷克博士的理论时，我非常吃惊，因为我对于水结晶照片的研究，简直就是一种肉眼可见的“形象之场”共鸣现象。

在最开始拍摄水结晶照片的时候，有近两个月的时间，我毫无进展。终于拍到第一张水结晶照片时，我的助手也接二连三有了收获。或许这也是一种“形象共鸣”。

之前听说谢尔德雷克博士的论著曾在日本出版，并很快跃居畅销书之列，但我对他留下如此深刻的印象，主要还是因为在电视上领略到了他的口才与雄辩，那是一档名为“六位不容忽视的科学家”的电视节目。

四年后，我在欧洲做巡讲时，有幸见到谢尔德雷克博士本人。当时去听我演讲的人当中，恰好有人认识谢尔德雷克博士的夫人。在他来电话邀请之后，我到他位于伦敦的家中拜访。

谢尔德雷克博士对我从事的水结晶研究颇为了解，还说他大约每个星期都会收到一封提到我的信或者电子邮件。虽说是我带着很多问题去向他请教，但他对我的研究真的很感兴趣，最后反而变成我不断回答他的问题。

谢尔德雷克博士对我说：

“我一直研究生物学与生物行为，从未研究过水，对水的了解很有限。不过此后我的研究也许会和水结晶的研究联系起来。

“我最关心的，是人的注视对某些事物的影响。比如说有些人，只要有人从背后注视着他，他就会有感觉。我就是想统计与此相关的数据。

“当然，这样的研究很容易流于主观。所以我想，也许这样的实验可以以水为对象。我真的很想从事这些研究，先设定几种情形：对之漠视、置之不理的水与受到特别关注的水，普通人看过的水与坏人注视着的水……再观察水的变化，然后拍下它的结晶照片。”

谢尔德雷克博士想做的实验，与我前面提到的对着瓶子里的米饭说话有异曲同工之妙。相信他也可以得出同样的结果，那就是对其置之不理的米饭，比对其说“谢谢”或者骂它“混蛋”的米饭腐烂得更快。

我将这个实验告诉了谢尔德雷克博士，他非常感兴趣，但也提到，其中牵扯微生物的生长，过程应该比较复杂。如果把实验对象改为水，结果会更简单明了。

目前，谢尔德雷克博士对人的精神方面的研究颇感兴趣。比如，宠物的主人与宠物之间应该存在默契。不然为什么主人快要回家时，宠物狗会有所感应，跑到门口等着主人归来呢？据说，谢尔德雷克博士已经用录像机拍下了两百多次这种现象。

谢尔德雷克博士还对我说：

“我们生命的维持依赖许多看不见的能量，所以希望你能时刻关注身边发生的事，这非常重要。关注本身对它们就存在影响力，很多人虽然很清楚这一点，却没有付诸行动。这与父母关注孩子是同样的道理。”

关注身边的所有事情，观察周围的每一次变化，也就是我们要用爱去对待感知到的一切。因为谢尔德雷克博士始终站在第一线研究人类意识具有的影响力，他的话格外深入人心。

如果有了水结晶给我们的启示，再加上谢尔德雷克博士经过实验得出的结果，便可以解释这个世界上的大部分现象。同时我们还能发现，每个人都具有足以改变世界的能力。

上帝赋予人类创造力，只要充分利用这种能力，便可以在瞬间改变世界。

对于生活在烦恼中的人来说，这无疑是极大的鼓励，因为改变世界的一切力量就把握在我们自己手中。

世界是一个相互联系的整体，你在做的事情别人同样在做。我们应该创造一个怎样的“形象之场”呢？是要创造一个令彼此痛苦、相互伤害的环境，还是营造一个充满爱与感谢的空间？

当你面对水，满怀爱心向它表达谢意时，在世界的某个角落也一定有人像你一样，对一切充满爱心。

你不需要离开现有的环境，因为你眼前的一杯水已经连接了整个世界。

无论在哪里，水与水之间都会产生共鸣，由此扩展开来，全世界的人都应该心存一份爱与感谢。

就让爱与感谢充盈这个世界吧！那样的话，就会形成一个神奇的充满爱心的“形象之场”，从而改变这个世界。在那样的世界里，将不再有空间与时间的界限，每时每刻都会有美好的事情发生！

微笑起涟漪

我之所以出版水结晶的摄影集，是希望有更多的人了解，水结晶能告诉我们很多关于宇宙的真理，却从没想到这本书竟然能在遥远的欧洲激起那么大的涟漪。可以说，这本书也形成了某种共鸣。它就像水波一样，以超乎想象的速度迅速扩展到每个人的心海。

这本书里到底有什么如此吸引人？我想，也许是人们看过照片之后，体内的水受到水结晶的感化而起了反应。水急切地想告诉这个世界，一切的根源都在于“爱与感谢”。

爱与感谢是自然常理。来自宇宙的水将“爱与感谢”的信息带到地球，并让它创造和孕育生命。人看过水结晶的照片之后，通过人体细胞中的水，使最初最原始的记忆开始复苏。

水结晶所做的一切都是为了传达“爱与感谢”。

接下来再让我们欣赏一些水结晶的照片。这些照片是我以世界为题，试着通过风景与音乐来观察水的变化，同时尝试了解世界各地的自来水与天然水的结果。

这本全面展示水结晶的书之所以能流传到世界各地，完全归功于我前面提到的、后来兼做我随行翻译的日裔荷兰人阿维汉特·静子女士。

我的摄影集出版还不到一个月，一天，阿维汉特·静子女士经朋友介绍来我的事务所拜访，并看到了我这本刚刚出版不久的书。

她很震惊，当场用身上所有的钱一下子买了七十七本，分送给远在荷兰、瑞士、德国、美国、澳大利亚等地的朋友。

她把书送给朋友后，各种各样的反响如潮水般反馈到她那里。“这本书正是我梦寐以求的”“这个时代翘首盼望的杰作”……热烈的反响一波接一波涌来。

于是，她邀请我去参加瑞士苏黎世友好联谊会举办的以“人间寻宝”为题的小型年度聚会。

小型聚会一个星期后，恰逢一场瑞士每年定期举行的大型活动。机会难得，她又特地为我引荐，让我有幸在记者面前做了一番演讲，并接受了杂志的采访。这也是水结晶这一话题在欧洲激起更大涟漪的契机。

后来，前面曾经提到过的玛鲁薇拉·金女士又在瑞士为我筹办了多次演讲活动。她看过我的摄影集后也深深被水结晶吸引。

“我有两个小孩，知道用充满爱的口吻对他们说话产生的影响绝对不同于用命令语气说话的影响。也就是说，和他们说话时，使用‘做做看好不好’与‘你给我做’这两种语气，产生的效果完全不同。

我甚至觉得，体内的每个细胞都有各自的感受。

“即使在日常生活中，水结晶也能给我们非常重要的启发。

“平时我们生活在到处充满电磁波的环境中，尤其是现代生活不可避免地要接触电脑。水结晶让我们知道，不能对电磁波带来的伤害无动于衷，必须小心翼翼地应对它们。这一点给我留下了非常深刻的印象。”

玛鲁薇拉·金女士想邀请我去演讲，因此向瑞士小城圣格多加兰的环保局寻求支持，希望以“水与环境”为主题举办一次活动，但是环保局最后以主题过于抽象为由拒绝了。

于是，玛鲁薇拉·金女士开始号召有志于探求精神世界的人们关注“水”。此后的结果让我知道，她的做法不但正确，而且明智。水结晶引起了那些关心肉眼看不到的世界、关注人的心灵成长的人的共鸣。这种共鸣是发自心底的。

终于，在玛鲁薇拉·金女士等人的全力协助下，我到瑞士的三个城市进行了历时一周的演讲。演讲圆满落下帷幕，同时也激起了更大的反响。

在这之后，玛鲁薇拉·金女士和她的朋友们又多次邀请我到欧洲，同时还邀请到很多与水研究相关的专家，共同举办了多次演讲及研讨会。她还兴奋地告诉我，现在有关水结晶的演讲无论在什么地方都很受欢迎，有的地方甚至人满为患，很多人根本进不了会场。

后来，因为国外杂志的介绍，以及本书海外版的出版，各地的邀请接踵而来。

继欧洲之后，我还有幸到美国哈佛大学和位于波士顿郊外的特殊教育学校去演讲。这所特殊教育学校招收的学生，大多是因为无法适应到处充斥着枪支、毒品以及暴力的环境才到这里来的。这些孩子非常细腻、敏感，想必心灵曾经受到过某种程度的伤害。

去之前，我很高兴地想象过他们听了我的演讲后，可能会对家人说："既然脏话对水都能造成伤害，那么对人就更不能出言不逊呀。妈妈，我不希望你以后再用命令的口气跟我说话……"

或许这同样是一种共鸣现象。有更多的人受到水结晶的吸引，"爱与感谢"的传播速度就会更快。

这正说明，在这个混乱不堪的世界上，人们已经开始寻找关于生命的新答案，而水结晶肯定能让全世界的人得到一个共同的答案。

我曾经受邀前去演讲的国家有瑞士、荷兰、英国、法国、德国、意大利、澳大利亚、韩国、加拿大、美国等，结果发现，国外研究水结晶的人在不断地增加，他们也有非常独特的研究。瑞士基本已成为全世界水结晶的研究中心。据说，有人已经决定在瑞士建立相关的研究所。

瑞士自古以来就被称为"欧洲水塔"。我到了瑞士发现，美丽的湖泊、河流及雪山在那里随处可见。瑞士每个小城镇的饮用水都非常洁净。瑞士人心中肯定对水充满感激之情。我甚至想，我们与他们相比，是不是连DNA也存在某些差异？

瑞士的水确实非常干净。日本考察团在参观苏黎世湖时，因为湖水太过洁净美丽，有人不由得脱口问当地的导游："为什么一点垃圾都没有呢？"导游则一脸困惑地反问道："为什么会有这样的疑问呢？"

我每次演讲都会带上水结晶照片的幻灯片。即使在欧洲，也是一边放映在当地采集的水的结晶幻灯片，一边加以说明。

在瑞士放映这样的幻灯片时，瑞士人总是率真地表达发自内心的惊讶与感动。通过他们的反应，我知道他们对水有极深的认识。更有人建议我在欧洲建立水研究所。我想，如果建研究所，首选地一定是瑞士。

我想在瑞士建研究所的构想可以说非常独特而宏大。首先，我想建的研究所的建筑主体就是呈六角形的水结晶形状。说得更清楚一点，建筑物的中央是研究水结晶的研究所，其外围则排列着"物理学与数学""生物学与医学""天文学与海洋学""政治经济学与历史学""哲学与宗教学""化学与工业"等六大领域的研究所。我进一步的设想是，如果再将这六大领域中的每一个领域细分为十八个小领域，那么加起来就有一百零八个各自独立的研究所。

我想将这个巨大的研究组织命名为"WISE CRYSTAL"。我公布了召集发起人的构想，并召开了相关会议。虽然这项计划只是初具雏形，但积极支持计划的几个人很快就将其细化，使其得以落实。

建立“WISE CRYSTAL”的构想源于很久以前我心中不断产生的一些疑问：地球的环境为什么会恶化到如此地步？人心为什么会冷漠荒芜到这般境地？整个社会又为什么会变成如今这个样子？这一切或许可以归咎于部分科学家的懈怠与腐败，以及某些掌权者的蓄意同谋。

当然，不能否认还是有很多意志坚定、为人类劳心劳力的杰出学者。但放眼整个社会，又不能不让人心生感叹：拥有宏观视野、能够致力于全人类生存发展并关注如何净化地球的学者，实在是少之又少。

日本当局明明知道用氯处理水对人体有害，却偏偏要这样做。由此不难看出，一些御用学者在怎样姑息着这个社会，以致它逐步沉沦。

武断地将所有责任都推到学者身上并不客观，但可以说，无论学者们多么有见地、多么煞费苦心，这个社会真的已经从根本上败坏到了很难挽回的地步。

那么该如何一扫如今弥漫在整个科学界的萎靡不振的风气？我认为首先要重整围绕科学家的环境与体制。我想建立 WISE CRYSTAL 研究所的目的就在于借市民团结的力量，让学者们专心从事自己的研究，同时还能有机会与其他领域的学者相互交流，以利于拓宽视野，重新审视自己的研究。

如果我这个计划能够实现，相信一定可以获得真正对地球与人类有贡献的研究成果，同时也能节约单独建立一个个小研究所的经费，并解决其他相关问题。

我总想象着这个研究所成立之后的情景：每到中午，在研究所的大餐厅里，各个研究领域的学者们聚集在一起，一边用餐一边交流；到了傍晚，则踊跃地发表自己的研究成果……

当然，要实现这个计划还需要克服许许多多的困难。但无论如何，我终于迈出了第一步。

无论什么样的计划，最重要的莫过于清晰而具体地将它整理出来。这是我在多年的从商经历中得到的经验。从小时候到现在，无论遇到什么事情，我总会清楚地表达出自己的想法及意愿，有时甚至让别人觉得我未免有些啰唆。

清楚地表达出自己的意愿，也是一种收集能量的过程。尤其是在别人面前公开宣布的时候，能汇集更多的能量，让你一鼓作气付诸行动。

事情说出了口，才能接着往下一步走。当然，千万不要信口胡言，要怀着一种信念，勇敢地公之于众。这样一来，你常常会意想不到地得到别人的支援与协助。

我相信，各位已经非常清楚地了解，语言本身有固有的波动频率，同时还具有影响宇宙的能量。说出口的话，都是一种有力的“具有灵魂的语言”，足以对事物产生影响。

曾经有人亲自证明了清楚表态时“具有灵魂的语言”的能量，同时验证了这种做法在人的生命中到底能产生多大效应。这个人就是我的恩师盐谷信男先生。

二○○一年，盐谷先生已九十九岁高龄，但他腰背依然直挺，总是给人一种神采奕奕的感觉。

前些年，他每年都要出去演讲几次，每次演讲都在台上站一两个小时。不仅如此，他每天还要练习高尔夫球，而且每周到高尔夫球场去打一场球。如此高龄却还这般充满活力，说他是神人或许也不为过。

盐谷先生的长寿秘诀就在于他独创的正心调息法。这种方法是一边呼吸一边在脑中想象肺里充满了空气，同时让体内的空气不断循环，由此得以汇集宇宙的能量，从而获得健康的体魄。当然，他有那样健康的体魄，另一个主要原因还在于通过大声宣言获得能量的方法。

盐谷先生在正心调息之后，会大声颂唱他称为“大宣告”的祷告语，内容是：

“凝聚宇宙无限的能量，必将获得和平盛世。”

看过世界各地风景照片的水

我把装了水的瓶子放在世界各地的风景照片上，然后拍下这些水的结晶。让我们看看这些水各自呈现出什么模样。

太阳

这不是风景，而是一张庄严的太阳照片。水结晶呈现出来的是一个占据整个画面的晶体，表现的也正是太阳的意象。

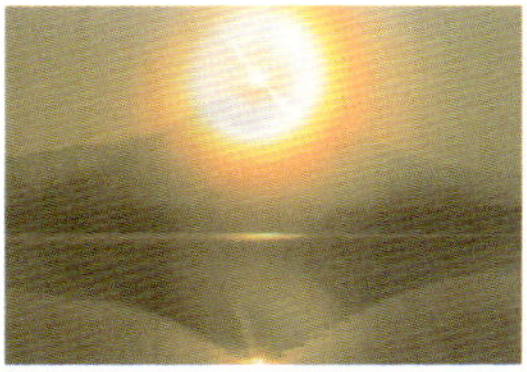

富士山

这是一张富士山的照片，山顶上笼罩着一轮旭日。不知是不是偶然，水结晶也发散出恰似沐浴在朝阳下的光芒。

落基山脉

象征北美脊梁的落基山脉，覆盖着终年不化的皑皑白雪。水结晶也同样呈现出被白雪覆盖的模样。

莫西奥图尼亚瀑布

位于非洲赞比西河中游，赞比亚与津巴布韦接壤处。水结晶也仿佛是由瀑布那气势磅礴、飞流直下的水柱连接起来的。

巨石阵

英国境内的遗迹巨石阵，应该是被刻意地建在能量指数较高的土地上，所以水结晶也呈现出能量连绵不绝的样子。

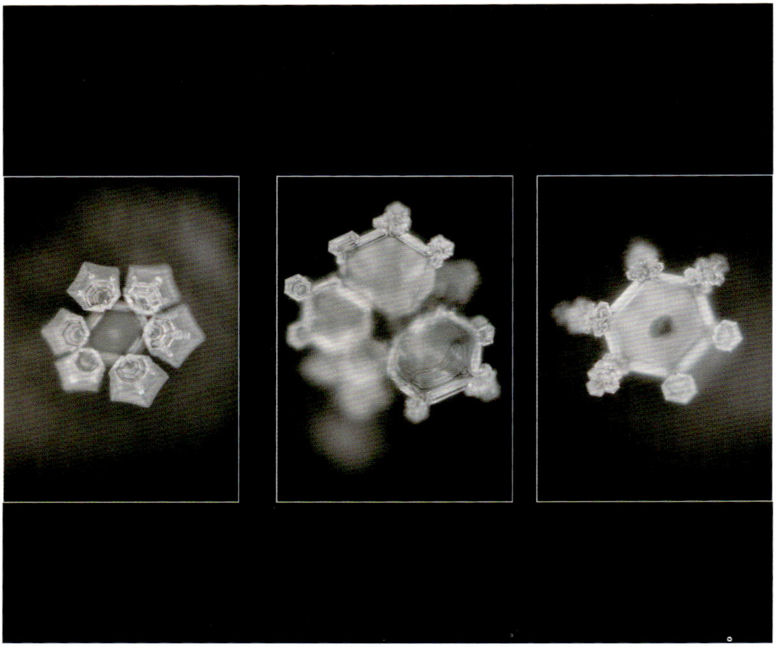

珊瑚礁

水的三种结晶各具特色，但是形状都纤细得有如珊瑚礁，又如群鱼畅游的水中乐园。

热带草原

水结晶的细腻纹理，有点像一棵棵树干纤细的树，仿佛在诉说着大自然孕育生命的壮丽诗篇。

东南亚热带雨林

茂密的热带雨林几千年来不断地维护着生态平衡。水结晶也微妙地给人一种安定的平衡感。

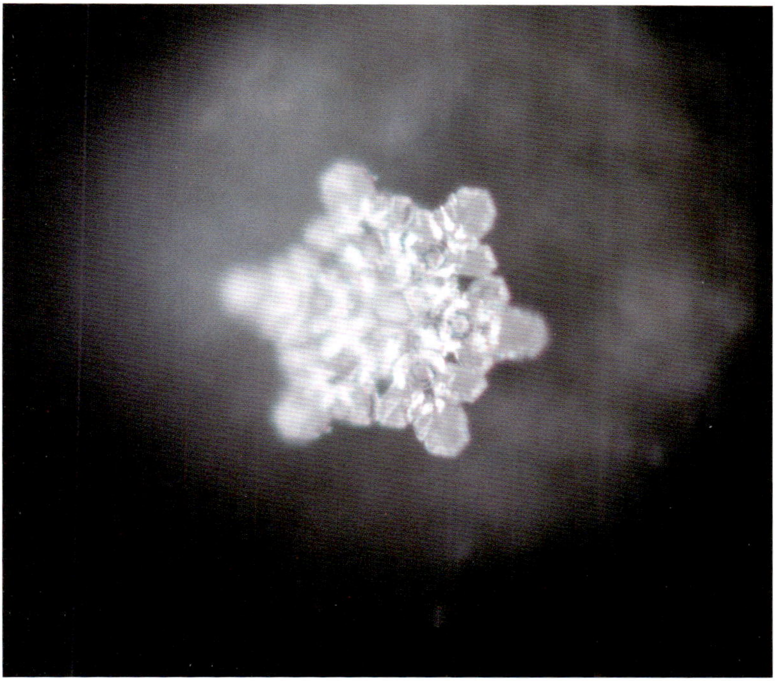

秘鲁的马丘比丘

水结晶不知道是不是想呈现出曾繁华一时的古印加帝国的风貌呢？虽然小，却华丽得如同钻石。

美国黄石湖

黄石国家公园里的黄石湖是一个色彩浓郁的湖泊。水结晶也呈现出如宝石般美丽的色彩，所以在此特意展示给大家。

币立神宫

日本最古老的神社币立神宫，近年来因为天岩户开而声名大噪。水结晶似乎也有左右对称开启的大门。

聆听各种音乐的水

水通过各具特色的结晶，向人们传达了世界各地的音乐独有的旋律与意蕴。

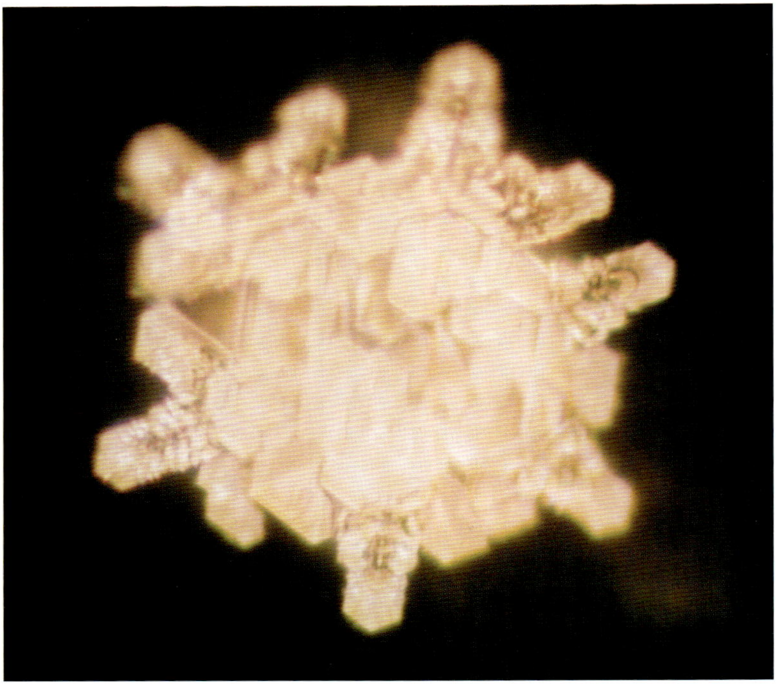

中国佛教音乐

相互纠结在一起的结构复杂的水结晶，形状坚固而有力，看起来有点像佛经中提到的曼陀罗。

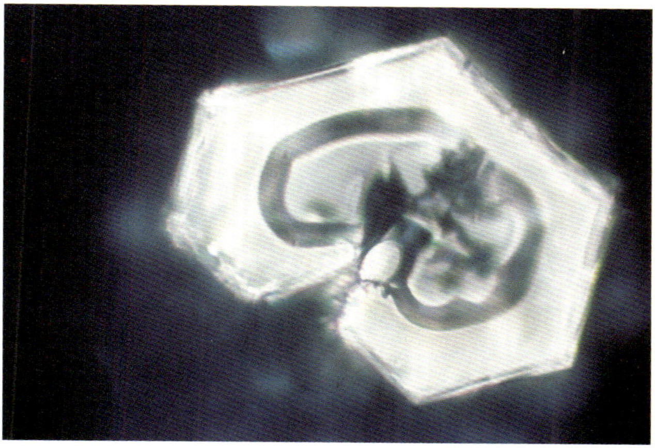

朝鲜族民谣《阿里郎》

巴厘岛的《肯迦》

《阿里郎》表现了恋人分手时的悲伤，水结晶也仿佛心痛万分的样子。而听了《肯迦》的水结晶纹理非常细腻，仿佛体现出音乐的疗伤功效。

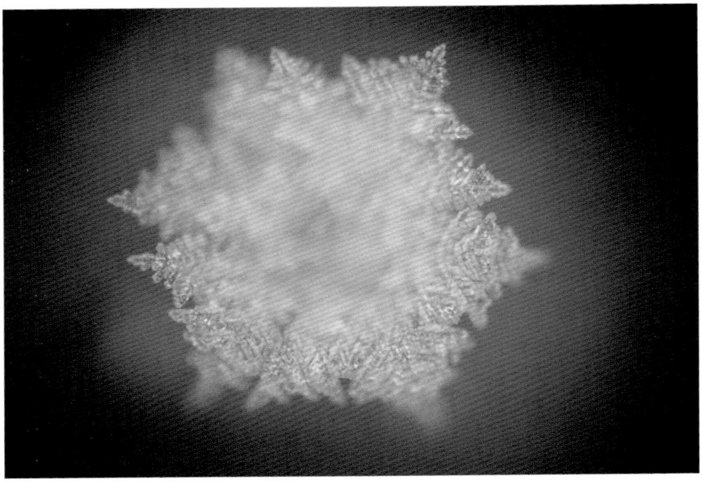

巴西音乐

水结晶全都呈现出星星的形状。这说明摆动身体的同时大声高歌，具有提高人体免疫力的功效。

阿根廷的探戈

两张照片中的水结晶恰似正在双双对对曼妙起舞，十分独特。你不觉得光是看这样的照片，就能让身心充满愉悦吗？

教堂音乐

水结晶的形状呈现悠然自得的样子，似乎象征着祈祷的人能与神产生共鸣。无论聆听哪个国家的音乐，水结晶都能呈现出具有心理疗效的模样。

《波尔卡》

《啤酒桶波尔卡》

捷克的波尔卡舞曲与维也纳的波尔卡舞曲来自不同的地域，但水结晶的形状同样都非常漂亮。

奥地利民谣

奥地利的蒂罗尔摇篮曲

这两种水结晶十分独特，它们的形状像不像在唱奥地利民谣时的口型？听了摇篮曲的水结晶，中间仿佛有个小婴儿躺在那里。

世界各地的自来水的现状

我们日常生活中使用的自来水，不知道是不是因为消过毒，无论出自哪个国家，都很难形成美丽的结晶。或许每个国家都应该互相学习别国的长处，找出水处理的正确方法。

巴黎

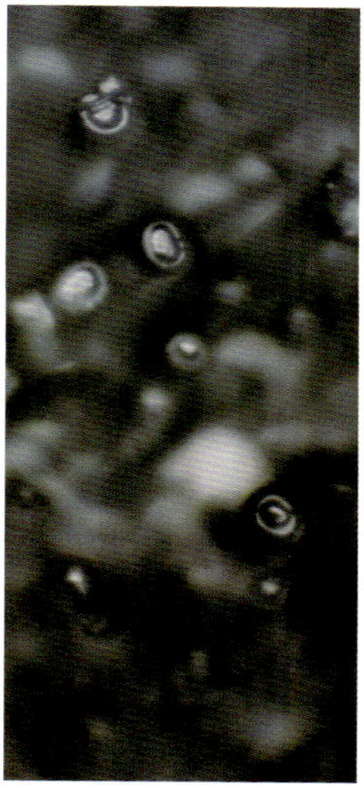

伦敦

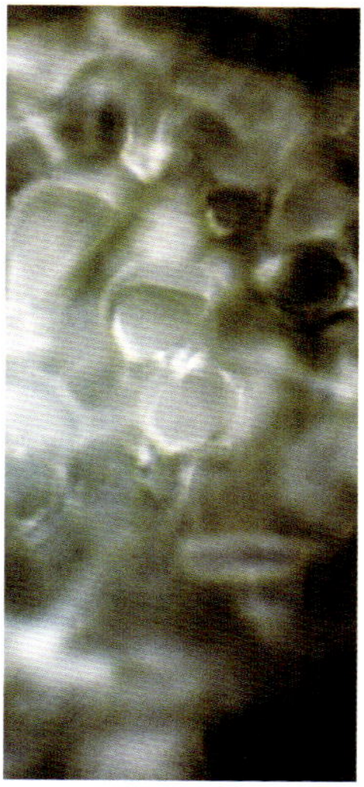

东京

以上三个城市的自来水都无法形成美丽的结晶。这正说明水中被人为加入了违反大自然法则的“毒素”。

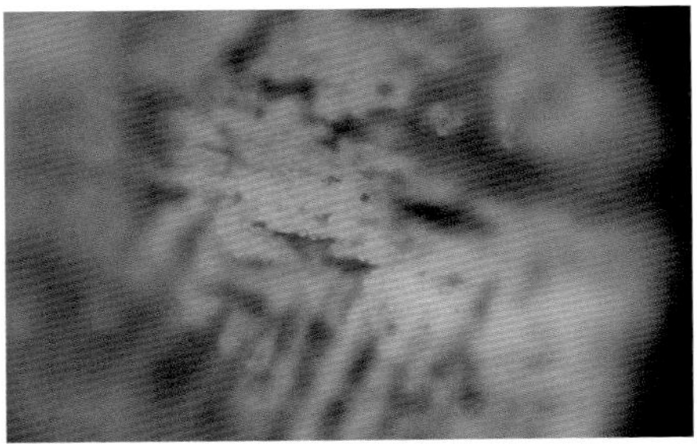

罗马

威尼斯

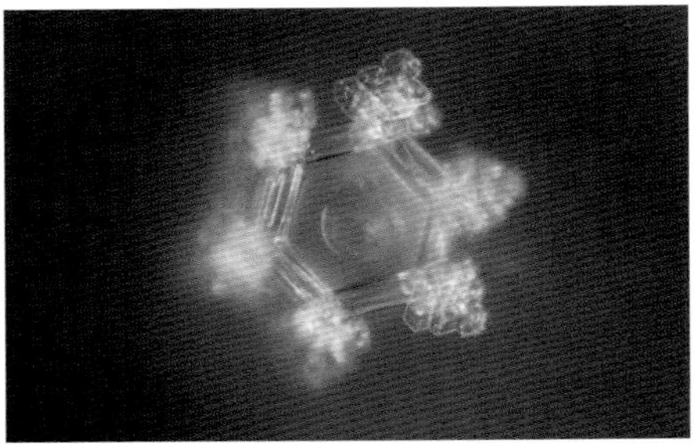

伯尔尼

威尼斯纵然有“水都”之称，其自来水仍然无法形成美丽的结晶。而瑞士伯尔尼的水却能形成整齐的结晶。

华盛顿

纽约

在这两个美国城市意外地拍到了美丽的水结晶。不知道是不是与曼哈顿的水塔特别使用了杉木水箱有关。

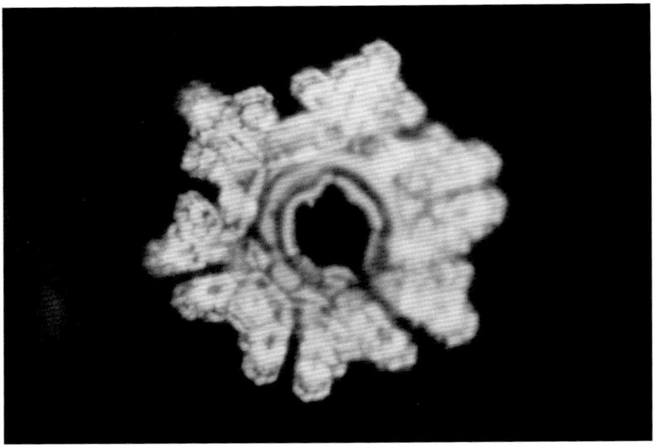

温哥华

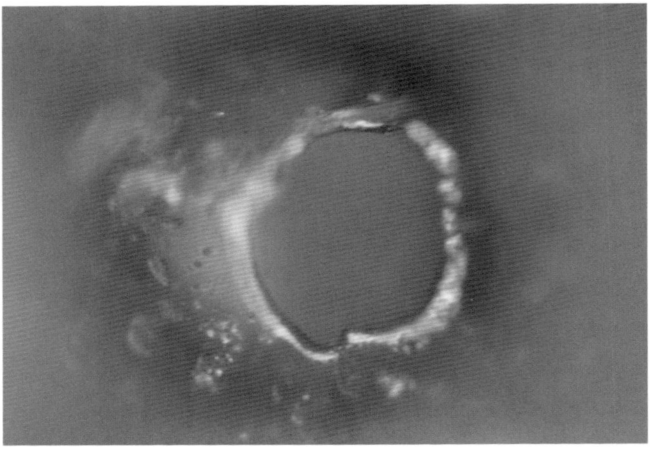

悉尼

也许因为温哥华充沛的水源来自落基山脉，其水结晶看起来相对还算美丽。相比之下，悉尼的水结晶却出乎意料。

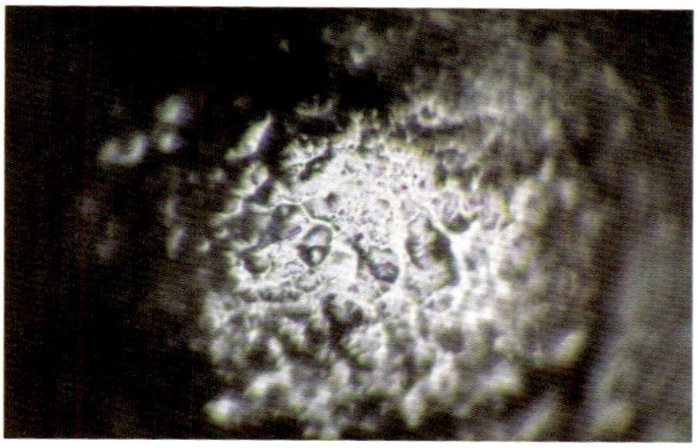

曼谷

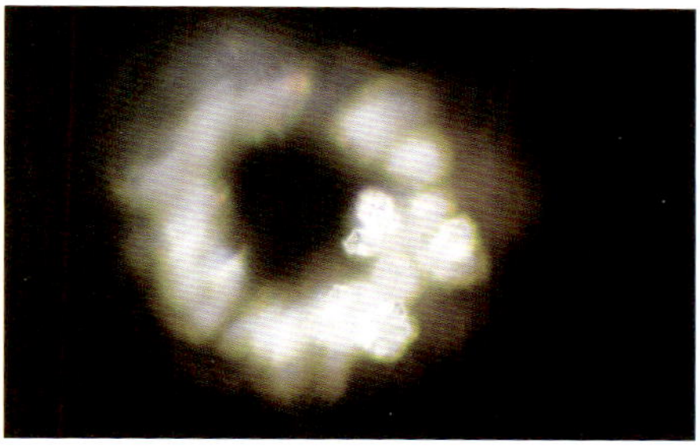

香港

澳门

亚洲的水又怎样呢？看来关键还在于使用什么样的水处理方法。亚洲这三个地方的水都无法形成完整的结晶。

布宜诺斯艾利斯

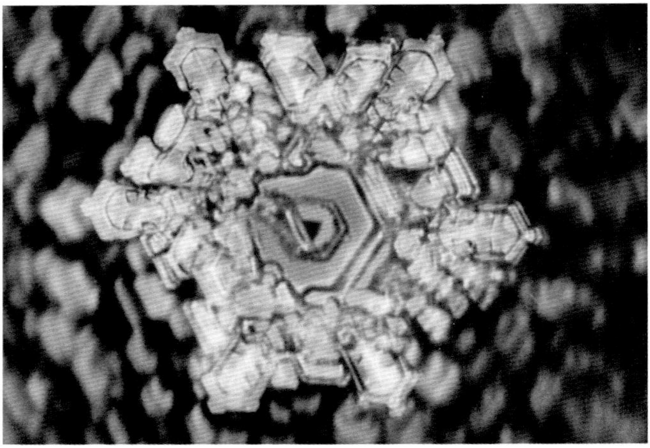

玛瑙斯

同样位于南美洲的两个城市，玛瑙斯因为靠近亚马孙河而水源充沛，而布宜诺斯艾利斯的水也呈现出非常美丽的结晶。

美丽的天然水的光芒

冰河、涌泉、河水等保留了原始自然风貌的水都极具特色，并展示给我们如宝石一样整齐而美丽的结晶。

日本广岛县西条泉的泉水

水结晶如细腻的银雕制品。这里因水质好而闻名，是日本少数几个美酒产地之一。

日本山梨县北部巨摩郡三分之一泉的泉水

这是由八岳山的雪水汇集而成的泉水，连它的结晶都呈现出与八岳山美景浑然一体的自然之美，耀眼夺目。

日本中禅寺湖涌出的泉水

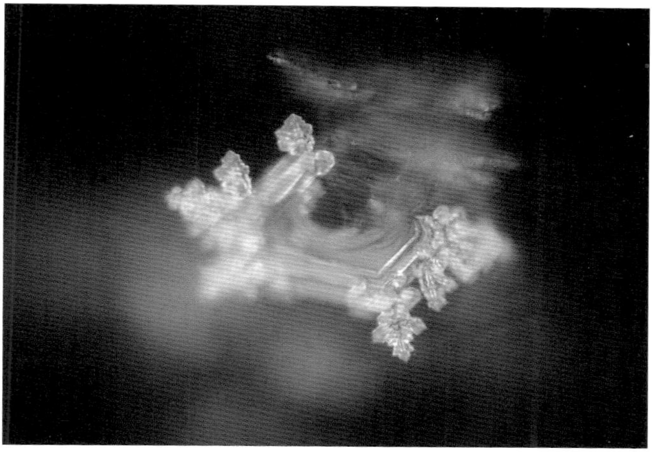

经过氯处理的中禅寺湖涌出的泉水

上图为中禅寺湖边饭店使用的泉水的结晶。下图则是在市政府指导下，经过氯处理的水的结晶，已经开始支离破碎。

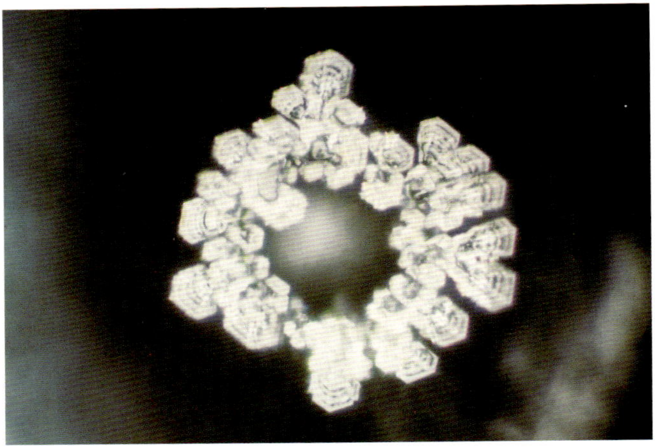

法国卢尔德圣泉的泉水

罗马许愿池的水

卢尔德圣泉的水结晶，与提到的看过“天使”的水结晶十分相似。而许愿池的水结晶看起来很独特，不知道呈现的是不是投入池中的硬币的形状？

塔斯马尼亚州霍巴特的钻石泉

新西兰的地下水

霍巴特盛产钻石，就连当地泉水的水结晶的形状都像一颗颗钻石。新西兰的地下水也能形成美丽的结晶。

南极

加拿大哥伦比亚冰河

数万年前的雪能形成结构很紧密的结晶。在哥伦比亚冰河，由于所采的是其表面的水样，可以看出已经或多或少受到了现代的污染。

美国田德福特湖的水

朝鲜妙香山登山口的水

上图是我在美国旅行时采集到的溪水的结晶，纯净而美丽。而首次在朝鲜采集到的水结晶也美得如幻如梦。

瑞士布里恩茨湖的湖水

瑞士马焦雷湖的湖水

这是取自瑞士并在当地拍下的堪称纪念之作的水结晶。欧洲只有“水塔”瑞士才能有如此美丽的结晶。

他的祷告语中充满了凝聚着宇宙能量的言语，蕴含着祈祷世界和平的希望。而其中最重要的，是他使用的“必”字表现出来的坚定信念。

他还曾提出一种假设：对物质的研究达到某种极致时，就能找到一种现代科学尚未发现的、他称之为“幽子”的东西。他建议把“幽子”视为介于三维和四维空间之间的一种物质。大声宣告出来的言语，也就是强烈的“具有灵魂的语言”，可以凝聚成“幽子”。借助“幽子”，还能去到三维空间。

对于水结晶的研究，还有再向前发展的可能吗？

这一点取决于日后科学对水结晶的认可程度，也是需要我深深思考的问题。在国外，只要向人们展示水结晶的照片，他们就会提出各种各样的问题。比如有人曾兴致盎然地问：听音乐的时候，用数码播放器播放的音乐和用普通音响播放的音乐，对水结晶的影响会不会一样呢？如果让水听现场演奏的音乐，又会有什么不同呢？将来我一定要多做一些条件复杂的实验，以便在现场给人们明确的答复。

我在实验过程中遇到的最大问题就是重复实验。就像我过去在实验中不断观察到的那样，水结晶会随着人的意识发生变化。把水放进五十个容器中冻成冰块时，因放入的方式和放入者自身发出的波动等不同，会使水形成完全不同的结晶。依照顺序观察五十个容器中的水，也会发现水无时无刻不在变化。

因为这种种变化，根本无法达到科学实验“条件完全一致”的严格要求。因此，我只好在条件不完备的情况下尽量采取科学的实验方法。

比如，为了将人的意识对水的影响控制在最小范围内，我们实行了“遮蔽操作”。如果实验者事先已经意识到，看到“谢谢”的水会比看到“混蛋”的水产生更美的结晶，他这种意识就可能对水产生影响。所以，我们只是单纯地在容器上贴上“a”或“b”，最后才揭开到底哪一个写的是“谢谢”，哪一个写的是“混蛋”。这样做应该可以避免实验者的意识对水产生的影响。

我们将在五十个容器中分别观察到的结晶分成“美结晶”、“六角形结晶”、“不规则结晶”及“无法形成结晶”等几类，并贴上标签。每一类都设有一定的系数，视结晶情况打分。

这样一来，一眼就能看出哪些是根本无法形成结晶的水，哪些是能形成美丽结晶的水，从而迅速了解各种水的情况。

水结晶也会因实验者的身心状况发生变化。因此，我们会让多位熟练的实验者观察同样的水结晶。

我们研究的目的在于通过这种方法更细致地研究水，同时获得水传达给我们的重要信息。

我认为，关于水结晶的研究将来对人类的最大贡献还在于预测地震，因为水有提前感知地震信息的能力。

我的观点是，只要每天采集各地的地下水，观察其结晶变化，就能知道地壳内部的异常。

也就是说，当听说某个地方要发生地震时，我们可以比较、分析采集到的当地的地下水，观察它的结晶变化，就能预知地震是否真的会发生。

而且，如果在每次地震发生时，把震前与震后的水结晶变化存入资料库，或许还可以发现其中的共同点。甚至能通过资料库的逐步完善，预测下次地震发生的大致时间。

我的外祖父、舅舅、舅妈都是在关东大地震中丧生的。阪神大地震更是给日本带来了巨大的损失，给人们造成了极大的心灵创伤。如果水结晶的相关技术能被应用到预测地震上，肯定可以让人类免除更多的不幸。

这项技术除了能用来预测地震，还可广泛应用于预测台风、水灾等因自然气候异常造成的天灾。在病毒学方面，这项技术也可以得到广泛的利用。

我今后面对的另一课题是如何让每个人都能简单地拍摄到水结晶的照片。通过新技术，成功指日可待。这种新技术使用的新素材，其热传导率比普通素材高二十五倍，即使在常温下也能让水结成冰。

有了这种新的素材，我们就无须再像过去那样只能在零下五摄氏度的房间里进行拍摄。目前，我们正在使用这种新素材，试图研制出任何人在任何地方都能拍摄水结晶的仪器。

今后，水结晶的研究将成为人类共有的财产，这可能是一把双刃剑，但只要用法得当，为人类带来的势必只有幸福与繁荣。不过，我们也要避免有人用它来满足私欲，甚至加害他人。

人主要由水构成，缺了水，人根本无法活下去。但是水能载舟也能覆舟，我们不能忘记水曾湮没过人类的文明，也不能忘记我们曾不当地使用过它那似乎可以颠覆一切的巨大威力。

但一切全在于我们怀有一颗怎样的心。一念之差，可以获得幸福，也可以招致伤害。这一点水结晶已经非常清楚地告诉了我们。

那么，我们到底该怎样面对生活？

我一贯的主张是，怀有爱与感谢之心才是最重要的。感谢能让我们生出爱心，爱则能让我们知道感恩，从而让我们的慈悲之心像水结晶一样扩展到全世界。

我们肩负着净化水资源、改变整个地球环境的使命。要想完成这一使命，前提是每个人都必须怀有一颗澄净的心灵。

过去我们掠夺、污染地球，这段历史会永远留在我们的记忆中，永远留在水的记忆中。现在，水开始说话了，水通过它的结晶向我们申述着自己的委屈。

现在是我们该重新书写历史的时候了。水正静静地指引人类未来发展的方向。在你活着的这个瞬间，也有水在默默地守候你。

那么，请让你的身体接受水给予的启示，并将这种启示传达给更多的人吧！

后 记

让我们再次展开水与宇宙的幻想之旅吧。

第一次听到水是源源不断地来自宇宙这一说法，你可能会感觉到恐惧。

因为如果水这样持续不断地来到地球，那地球岂不终有一天会淹没在一片汪洋之中？

人类自远古时便遭遇过无数的水患。世界各民族的神话故事中都曾有关于洪水的传说。据历史记载，地球的确数次遭到过洪水的侵袭。看来诺亚方舟的传说、亚特兰蒂斯大陆的沉没都绝非古人的杜撰。

也如历史故事在不断重复上演一样，如果水从浩渺的宇宙源源不断来到地球的话，地球可能再次受到洪水的威胁。最近世界各地也有发生水灾的新闻传来。虽然地球面临洪水的侵袭可能数千年乃至数万年之后才会发生，但我们应该现在就考虑到底要如何应对。

在我被恐惧笼罩、无时无刻不在考虑该如何处理不断来自宇宙的水时，突然，一个念头闪过我的脑海。

宇宙中的一切都有相似性，微观世界会忠实地展现另一个微观世界。宇宙就像一个巨大的曼陀罗，从这个角度出发，就可以知道宇宙中发生的事同样也可能在我们的体内上演。

人体需要水在其中不断循环，宇宙中的水也需要不断循环。如果水只是持续涌入地球，终有一天宇宙中的水会枯竭。

水来到地球，不过是它浩瀚旅程中的一小段。所以说，地球上的水总有一天会重新返回宇宙。

果真如此的话，水不断来到地球到底又说明了什么呢？也许块状的冰在落到地球的同时也落到了其他星球上，只不过其他星球可能不具备地球这样好的蓄水条件。

假如把太阳系比作人体，我想地球承担的就是肾脏的功能。

人体的肾脏每天要过滤近两百升的水，并将过滤后的干净的水输送到其他器官。这样说来，地球的任务就是将在太阳系中循环的水过滤干净后，重新送回宇宙。

既然如此，又由谁来承担净化地球水源的责任呢？那就是人类自己。因为我们是水做的，因为我们生活在地球上，所以有义务净化地球上的水。

当我思考水展开宇宙循环这个漫长之旅的时候，不禁又开始想一些问题：人到底从哪里来？又要往哪里去？

将人与水等同视之，就可以解开我的这些疑问。人体百分之七十由水构成，因此水记忆的信息自然而然形成了人格。

我曾听人说过，有人输完血后，头脑中会出现从来不曾见过的场景，还有的人性格会忽然发生变化……

每个人的人生经验都很有可能变成水的记忆留存在体内，这也许就是我们通常所说的“灵魂”。

灵魂的存在与重生，以及很多类似的问题目前无法得到证明。但我相信，随着水研究的进一步深入，这些问题总有一天会昭然于天下。

灵魂究竟来自何方？如果我前面所说都是正确的，那么灵魂来自宇宙。然而身为人类的我们，最后又将去往何处呢？

我们就是水，也许有一天会带着地球的信息与经历，再次回归到宇宙。我们现在的任务就是在离开地球之前，将自身净化成无污染的水。所以，我们必须活得神采奕奕，必须用意识净化体内的水，并向所有生命发出富含力与美的信息。

我们最大的期盼，是让美丽的水结晶充满世界的每一个角落。

因此，我们需要“爱与感谢”，需要欣赏那些水结晶的美丽。如果地球上的每个人都能心怀“爱与感谢”，相信地球肯定可以恢复原始的美丽。

我们总有一天会结束在地球上的短暂生命，飞向浩渺的宇宙。但怎样离开，没有人知道。关于这一点，我们只能服从于宇宙的无限真理。当然，到那时我们就不再拥有现在的肉体，而是以水的姿态，化为水做的一抹晚霞。

待我们的灵魂回归宇宙的那一刻，我一定要对各位说：

“让我们一起飞向宇宙，现在先到火星上去看看好吗？”

图书在版编目（CIP）数据

水知道答案／〔日〕江本胜著；猿渡静子译 .—3 版 .
—海口：南海出版公司，2013.10
ISBN 978—7—5442—6640—6

Ⅰ.①水…　Ⅱ.①江…②猿…　Ⅲ.①人生哲学—通俗读物
Ⅳ.①B821—49

中国版本图书馆CIP数据核字（2013）第163731号

著作权合同登记号　图字：30—2009—042

水知道答案

〔日〕江本胜 著
猿渡静子 译

出　　版　南海出版公司　（0898）66568511
　　　　　海口市海秀中路51号星华大厦五楼　　邮编 570206
发　　行　新经典发行有限公司
　　　　　电话（010）68423599　　邮箱 editor@readinglife.com
经　　销　新华书店

责任编辑　翟明明
特邀编辑　江起宇
装帧设计　李照祥
内文制作　田小波

印　　刷　河北鹏润印刷有限公司
开　　本　880毫米×1230毫米　1/32
印　　张　5.5
字　　数　110千
版　　次　2004年1月第1版　2013年10月第3版
印　　次　2025年1月第68次印刷
书　　号　ISBN 978—7—5442—6640—6
定　　价　45.00元

Water Knows the Answers

Water Knows the Answers

水知道答案 2

每一滴水都有一颗心

〔日〕**江本胜** 著　李炜 译

南海出版公司

新经典文化股份有限公司
www.readinglife.com
出　品

目录 CONTENTS

前 言

《水知道答案》得到了大家的广泛认可，在很长一段时间内畅销日本，并在中国、德国、韩国等地相继出版，都收获了好评。

一九九九年出版的《水的答案》也是这样。这些书的确具有不可思议的力量。不知从何时起，水开始独立行走，甚至来到了遥远的外国，在那里引发一次又一次波动，让许多人感受到了文化冲击。我作为作者受邀巡回访问了这些国家，但水始终走在我的前面。当我到达一个国家的时候，她已经在下一个国家做好迎接我的准备。简直像被水精灵引导着。不知为什么，我好像得到了她们的喜爱。

我仿佛清楚地看到水精灵在空中闪烁着跳舞的样子。有时我会跟她们打招呼，于是她们聚集在一起形成云朵，或一下子散开，令我心旷神怡。

我感到现在正被水精灵引导着。不过，我最初与水打交道却始于一件非常恐怖的事。

我出生的城镇位于横滨海边，地势较高，从家中沿斜坡跑下去就是大海。那里的海很平缓也很浅，退潮的时候，沙滩能延伸到很远的地方，我当时经常去捡蛤蜊。

但是一旦涨潮，大海就完全变成了另一番景象。

我六七岁时，有一天和邻居家比我大两岁的男孩一起去游泳，结果陷入深水区后溺水了。虽然离海岸仅有十米左右，脚却触不到地。我第一次遇到这样的事情，感到极其恐惧，开始拼命挣扎。可越是挣扎，身体越往下沉，还灌了一肚子水。正在绝望的时候，来了一艘小船，我们才得救。

回到家里，我把这件事告诉了母亲。母亲擅长游泳，而且对水有许多体会，她当时是这样教导我的：“肯舍身方能到达浅滩。”意思是说，不能与水对抗，要顺其自然，这样水就会自然而然把你带到浅滩。

这句话深深地刻在了我的脑海中，成了我的座右铭。从此以后，我不再对抗“水流”，而是选择了一种顺其自然的生活方式，总是朝着自己希望去的方向迈进。

每次去大海或游泳池，我都仰面躺着，全身放松，悠闲地漂在水面上。也就是在那个时候，我注意到了水精灵——那些闪闪发光的微粒。

我之所以想到把水冻成冰拍结晶照片，并将这个想法付诸实施，就是因为我当时处于这种“水流”中，水精灵赋予了我力量。只要我采取顺其自然的生活方式，她们肯定会引导我，教给我很多东西。

《水知道答案》正是在这种状态下诞生的。该书出版后不久就收到了许多读者感动、感谢和鼓励的话语，这肯定也是因为他们感觉到了那种惬意的“水流”。

其后，我一直在“与水对话”。水结晶教给我们许多宝贵的东西，比如需要按照生命节奏和自然规律生存，应该给下一代留下一个依然美丽的地球，需要爱，需要感激……《水知道答案 2》中荟萃了水传递给我们的许多话语。

我自认为这本书相当不错。如果它能够在大家的心中激起小小的波动，那将是我最大的幸福。

最后，我要在此感谢协助出版此书的 Sunmark 出版社编辑部的斋藤龙哉先生以及相关人士，同时要特别感谢一直坚持不懈地在寒冷的冷冻室中拍摄结晶照片的 IHM 的工作人员。

序 章

寂静的宇宙，是无限扩展的安静世界。

从遥远的彼岸，它们飞了过来，那是成千上万的冰块。它们飘荡在宇宙中，在行星间画出巨大的弧线。漫长的宇宙之旅即将结束。

绿宝石般的地球闪烁着耀眼的光芒。

它们越来越近了。进入大气层后，冰块逐渐变小，像灰尘和彩霞般薄薄地散开，不久开始下落。在向地面下落的过程中，又变成了细小的冰粒。

云，这被描绘在空中的白色主题，是每时每刻都在发生变化的艺术。

当冰粒降落到某个地方时，会再次变成稀薄的雾气在空中散开，将整个天空铺满白色的地毯。这就是云的诞生。

雨滋润着树木，成为不断滴落在花草上的水珠。

降落在大地上的雨滋润着森林、草原、花朵，滋润着万物。到达地面的水渗透到土地中，经过漫长的岁月，渐渐变成泉水，分为几股细流，从岩石缝隙中涌出地面。

河流卷起闪亮的水花，激流汹涌。

气势凶猛地席卷着泥土的混浊水流，逐渐汇成大河。蜿蜒奔流在荒野上的河川运载着生命。

沙滩。万里晴空。大海反射着阳光，闪闪烁烁，波浪滚滚而来。

远古时代，万物都诞生于此。大海中产生了生命，生命登上了陆地。一个新时代开始，繁荣的地球文明诞生。

朝雾。绿叶。露珠沿着树叶的脉络慢慢滴落。

这是水最清澈、最美丽的形状。清晨凉爽的空气，唤醒了变为雾气正在森林中徘徊的水，酿造了晨露，令我们赏心悦目。

水井的水清澈冰凉。孩子们笑声朗朗。

坐在井边吃西瓜。水果从大地中吸取了充足的水分，赐予我们甘甜的果汁。井水太清凉，太甘美了。它让我们怀念水和人类和睦相处的时代。

被填平的大海。烟筒、黑烟。扔在地上的饮料瓶。

不知从何时起，人类好像忘记了水的恩惠。井水和泉水全被污染了，连自来水管中的水也无法再饮用。只有装在饮料瓶中的水维系着最后的希望。

新的世纪。新的战争。希望和绝望。

水的污染，也许就是我们心灵的污染。现代文明看来已经走进了死胡同。今后世界将会走向何方？

水结晶与晶体的光辉将带来另一个希望，开启新的冒险……

上部作品《水知道答案》好像确实打破了大家心灵之泉的平静，图书问世后不久，就得到了许多读者的热烈回应。

有些读者说，竟然可以通过水结晶将大自然的奥秘以一种看得见的形式表现出来，对此十分惊奇和感动，并向我表达了谢意。

有位女读者在明信片中这样写道："在我有生以来读过的所有书中，这是最精彩的。感谢您能让我看到这宛如被光芒包围着的书。它是我一生的宝物。"

有位男读者告诉我："用眼睛看得见的有形的东西来表现真实，这令我非常震惊和感动，让我从心底信服。我认识到，古老教诲产生的效果并非单纯的迷信，而是基于宇宙的真理。"

我甚至收到了这样的信："七十六岁的父亲说，在别人推荐的书中，这是唯一让他觉得值得读的。这本书甚至改变了父亲的人生观。谢谢！"

如果将大家的话语看作水，并从中提取出一个一个的结晶，那么肯定能在这世上创造出非常美丽的结晶。

水结晶一定能让被它的美丽深深吸引的人们互相影响，心心相连，并分享着那份感动。

此外还收到了许多让我欣喜的信件。有的读者说："由于太感动了，给十多个人打了电话，并且自己买了三册作为礼物送人。"有的恋人说："买了两册，两人同时开始读的。"还有人说："这是情人节时男朋友送的礼物……"

正如水面上落了一片树叶，安静平稳，但美好的想法确实在随着水波不断地扩散。

在国外情况也一样。我曾在世界各地巡回演讲，从德国、瑞士、奥地利、荷兰、英国、法国、意大利等欧洲国家，到美国、加拿大，再到哥斯达黎加、乌拉圭、厄瓜多尔、巴西等南美国家，进而又到了澳大利亚、韩国、菲律宾等地，每到一处都受到了热烈欢迎。

二〇〇二年六月，应希腊有关方面的邀请，我有幸参加了在豪华游艇上举行的研讨会。当时聚集了世界各国的各界人士。研讨会举办期间，途经希腊、阿尔巴尼亚、斯洛文尼亚、克罗地亚、意大利等地。

这样的活动已经是第四次了，被邀请人员和日程安排很早就定好了。

碰巧在研讨会召开前三个月，主办人之一的希腊女士从女儿处看到了水结晶摄影集，立刻决定邀请我去参加。

在会上我做了演讲，其间放了水结晶摄影的幻灯片，得到很大的反响，喝彩声不断。而且能够和《水知道答案》中介绍过的罗伯特·谢尔德雷克博士再次相会，也令我很高兴。

许多看过水结晶的人无法抑制激动的心情，感动唤起了感动，从一个人到另一个人，好似汇成了一股水流。虽然很平静，却强劲地流动着，让人感到大河的汹涌。

或许可以说，水结晶滋润了残酷的现代文明中人们极为干枯的心灵，或者说让失去生命光辉的人类和人类文明得到了复苏。最重要的是，通过水结晶的照片，世界各国民众之间产生了强烈的情感共鸣，这是非常了不起的事情。

我在前著中也曾写过，生存实际就是在流动。如果建造水库阻止河流的流淌，河流就会死亡。人类也一样，如果血液循环在某处被截断的话，生命也会终结。

街道和国家亦是如此。前不久，我有幸在德国柏林做了演讲。在某工科大学的礼堂聚集了上千名听众。

大家都知道，柏林曾经建起过一堵墙，街道被分隔。在那里我是这样说的：

> 不管有何种理由，国家或街道被完全分隔开来是绝对不可以的。这如同把我们的身体分隔为两部分。如果这样，会导致什么结果呢？

水流向它想流去的地方是最好的。一九六一年建造了墙壁，柏林的街道从此被分隔，由此牺牲了多少生命啊，又有多少人的梦想和希望被撕碎了。

经过二十八年，墙壁终于被拆除，水又开始流动了。数百万人开始自由地流向自己想去的地方。这是大自然的意愿，因为人本身就是水。

我们身体的百分之七十由水构成。在这一意义上，世界上的每个人都一样。所以，绝不能允许由于某种政治企图妨碍人类生活的事情发生。人和水一样，必须不断地流动。

我的话刚结束，会场上的气氛就发生了变化。我感到有什么东西涌过来，是某种波浪。人们不断地从座位上站起来，整个会场响起了雷鸣般的掌声。多么盛大热烈的场面。

人们互相感染着这种热情和共鸣，更大的热浪吞没了整个会场，进而又演变为更大的波浪。

对和平的祈望，对所爱之人的祝福……这些想法没有国界。它们使不同肤色和语言的人通过心灵的共鸣，创造出新的波动。

从一粒小小的水结晶开始的冒险，就这样席卷世界各国的人们，逐渐发展为巨大的波涛。

水结晶的照片，与人们内心深处最单纯、最洁净的部分产生了共鸣。

打开心扉，当心中涌出爱与感谢，涌出对和平的向往时，新的冒险就要开始了。

通过这本书，通过水结晶照片，我希望大家能够认识到一点，那就是“爱与感谢”的力量。

“谢谢”“真可爱”“真漂亮”“爱与感谢”——如果让水看到这样的词语，水结晶会变成非常美丽的形状。

这到底意味着什么呢?

这意味着我们的心灵会给予万物非常大的影响，会创造出新的世界。

人类的心灵具有非凡的力量，所以愿望会实现——虽然以前说过多次，但用眼睛可以看到的形式将其展现在我们面前的只有水。

但这是双刃剑。因为如果大家都从内心希望世界毁灭，同样能够实现。

人们看到水结晶后，世界上发生了各种各样的事情。

人们目睹了象征着文明和富有的摩天大楼的倒塌。新的战争爆发了。在被破坏的建筑物的瓦砾下，许多人失去了生命。悲痛中生出憎恨，憎恨又引发新的悲痛，就像被推倒的多米诺骨牌，我们看到世界发生了连锁反应。

哭喊的人们、用绝望的眼神盯着地面的人们、面向天空祈祷的人们，他们诚恳的祝愿到底去哪里了？

我认为人类已经到了必须重新取回已被忘却的重要东西的时候了。这也许是最后的机会。水结晶好像在竭力把这一切告诉我们。

现在，有许多人的目光被水结晶的照片吸引。我想这绝非偶然。

当初，我力图尽可能地接近宇宙的真理，所以才开始水结晶的研究，但不知不觉在脑海中产生了更大的主题。这就是通过水逐步实现世界和平的愿望。

世界各国人民灿烂的笑脸、满怀感动的表情，这些在我看来都是闪烁的结晶，是存在于人们生存的地球上，同时也飘浮在宇宙中的美丽结晶。

从水结晶到世界和平，这种想法看起来过于宏大，也许有人会觉得滑稽。但是，我想脚踏实地一步一步实现这个梦想。

水结晶展示给我们的是宇宙的另一面。水自由自在地变换着各种形态，向我们述说着宇宙的形成。

那是在残酷环境中创造出的转瞬即逝的世界。在零下二十五摄氏度的条件下，将放在五十个实验用的浅盘中的水滴冷却，使之成为圆形的冰粒。然后拿到零下五摄氏度的房间中，用两百倍的显微镜观测。

结晶出现的时间仅有两分钟。其间，能勉强看到小小的白色冰粒开始变大，逐渐形成六角形，最后慢慢融化。

这是在极短的时间内，水向我们展示的打开不同空间之门的梦幻世界。看到水结晶照片的人们，都被那不可思议的美深深吸引。宛如儿时玩过的万花筒一般，看到的东西在一瞬间将我们带到了另外的世界。

水结晶照片让我们窥视到的世界，是看不到的波动的世界。

所谓的波动到底是什么呢？在此重复一下上部著作《水知道答案》中提到的内容。在说明波动时，我使用了三个关键词。

第一个是“振动”。

宇宙万物都以各自的频率在振动，可以认为它们发出了“波”。这在量子力学领域早已成为常识，即所有物质在本质上是粒子的同时也都是波。

也就是说，不论是生物还是矿物，只要是看得见摸得着的东西，全都在振动，并发出固有的频率。

不仅如此，人们口中说出的话语、写出的文字、画下的画甚至拍出的照片，都有自己独特的波动。

这种事情也许让人很难相信。但是，你们是否知道这样的事：有人虽然双目失明，却能够“看到”颜色。据说用手触摸可以感觉出是暖色还是冷色，是活泼的颜色还是稳重的颜色，就像温度和质感能通过皮肤感知一样。

这些人也许是将颜色的信号理解为波动。每种颜色都有各自独特的波动，并能发出信号。

文字也一样。有些被认为有特异功能的人，能够在眼睛被蒙上的情况下，仅靠手的触摸读取文字，还能知道放在信封中的纸上写的是什么。如果将波动因素考虑进去，这些事情也不能说完全是谬谈。

如果将写在纸上的字贴在水瓶四周，或只是把水放在照片上，就能看到水结晶的变化，这是为什么呢？

因为水能够如实地感受到那些波动，并能记住波动。

是的，水是有感觉的。

说明波动时使用的第二个关键词是“共鸣”。

简单地说，所谓的共鸣，就是指在发信方和接收方之间形成的以波动为形式的信息传递。

你想跟人聊天时，不管怎样拨号，如果对方不拿起话筒，就无法实现对话。如果没有接收方，信息就无法传出。日本自古以来就有“气味相投”的说法，这或许表明了双方的位置关系。

共鸣现象能在日常生活的各种情况中观察到。

比如，你觉得某人很讨厌，十有八九对方对你的感觉也不会好。内心所想会不可思议地传递出去。同样，你有好感的人，一般也能感觉到你的态度。

如果你对某个人有爱意，这种波动肯定能传达给对方。从你坠入爱河的那一瞬间起，你就成为波动的发送方。

在看不见的世界中，经常会发生无法用语言表达的精彩之事。了解波动的世界，就意味着了解生存的可贵之处。

了解波动的第三个关键词是“相似象”。

什么是“相似象”呢？是指微观世界象征宏观世界，宏观世界是微观世界扩展而成的。

太阳系中的行星井然有序地围着太阳旋转，象征着电子在原子核周围旋转的微观世界。在人体上发生的事情，也可以说是大自然活动的模型。

这与分形理论（fractal theory）也有共通之处。以树枝来举例，枝头的分枝形状和从主干长出的树枝分枝形状是相同的。相同形状的树枝组合在一起，构成了大树的轮廓。这就是所谓的分形结构。

大自然中到处都能看到分形结构，如海岸线、蜿蜒的河流、云朵的形状等。

水结晶也一样。

水结晶为什么会形成六角形？这是因为水分子在结合时，六角形更加均衡平稳。当然六角构造很小，肉眼无法看见。可以认为，如果这些相同的六角构造结合在一起，整齐地排列起来，就能形成更大的六角形。

也就是说，肉眼无法看到的分子排列和能用显微镜看到的水结晶都是分形结构。

因此可以说，观察微观世界就能了解宏观世界的情况，掌握宏观情况同样也能推测微观世界。

通过以上列举的三个关键词，对波动作了非常简单的说明。

波动还有一个最重要的特点——它是流动的。

释迦牟尼悟出“流动”才是宇宙的法则,所以提出了“诸行无常”的说法。

通过水就可以看出这一点。水正因为不停地流动，经常被清洁，才有生机。水带给生命必需的营养，洗刷掉了污垢，给所有的事物注入了生命力。

万物和水一起在流动。你的人生同样和水一起在发展。

构成自然的万物遵循着同一个法则，在秩序井然地流动，从产生到消亡。“循环”才是大自然的法则。

违背这个法则的只有人类。我们紧紧抱住一些无聊的欲望、自尊、“主义”、主张不放手，根本不想流动。

现在摆在我们眼前的许多问题的根源就在于此。

贪婪导致战争，憎恨引起悲哀，漠不关心造成污染……这些问题的出现，难道不都是因为想逆转自然的流动方向，或想阻止自然的流动吗?

这些堆积如山的问题，我们必须认真谨慎，下决心去逐一解决。
解决问题需要什么？需要“循环”。这是开拓新时代的关键词。
要生活幸福，传播爱，恢复和平，而且要保护宝石般的地球……
万物都是从循环中产生出来的。所有的答案，水都会告诉我们。
让我们一起倾听吧，一起听听水的声音。
另外，请沉浸在水结晶映出的想象世界中。
不知不觉，你会回到水中，回到自然的流动中。
身心和脚步都变得轻盈，你会有异常欣喜激动之感。
有这种感觉时，你的眼前会展现出一片前所未有的美好景象。
没必要对流动感到犹豫，不要对前进感到恐惧。
为什么？因为你是水。

调整波动去对应幸福

人的一生，从水开始，以水结束。

婴儿在母亲腹中的成长，如实地再现了远古时代生命自大海诞生的过程。羊水就像胎儿的海洋，胎儿在那小小的海洋中一边呼吸，一边为今后即将开始的人生作准备。

人在这个世上结束使命的时候，水同样是不可或缺的。在日本有取“临终之水”的风俗，就是将棉花或菊叶蘸上水擦湿死者的嘴，这体现了人们“衷心希望死者能够起死回生”的愿望。水就是生命本身。

只要活着，水就在我们体内流动。水注视着万物的繁盛兴衰，赋予万物生命的气息。而且，水用有形的东西向我们展现了生命的可贵。在显微镜下观看水结晶的时候，它们成长、绽开的过程就像在述说我们的人生。

结晶刚刚形成时是从冰的缝隙中微微露出脸的小冰粒，然后在十几秒的时间内迅速变大，形成六角形。这是在用显微镜观测时，冰的温度渐渐上升的缘故。

六角形变大的过程中，角上形成装饰，就像植物在发芽。或许可以说，这相当于人类从孩子到大人的成长期。

又过了片刻，就像精心完成的雕刻，结晶的周围出现了漂亮的边缘，形成了端正的六角形。此时，可以说它已经成长为顶天立地的大人。再过一会儿，刚才连细节部分都很有型的结晶便失去了强大的力量，开始融化。

水结晶从形成到融化历时约两分钟。在这么短的时间里，水结晶向我们展示了绚丽的成长过程，最后辉煌地结束了生命。

虽说生命结束了，但水发挥作用却是在融化以后。水结晶也许是即将到来的水的一生的序章。

结晶最耀眼、最美丽的时候，正是它即将融化的几秒钟。也就是说，结晶的晚年是最美丽的。人的老年，也许正是人类成熟并散发着最耀眼光芒的时期。只有老人才既有以往的艰辛体验和宝贵经验，又有对人的仁慈和体恤，并能将其传递给下一个时代的年轻人。

当然，如果想使老年时期的生活具有光彩，必须从年轻时开始准备。不论年龄大小，人都要珍惜每一天，不断磨炼自己。

只有经历这样的人生，才能创造出既有内涵又美丽的人生结晶。

人生是流动的大河，也许有时会遇到大岩石溅起水花，也许能在舒适的山谷中顺畅地流淌，但无论何时，我们必须经常流动。

稍后，请大家看一看水结晶的照片。

我想大家肯定能够从水结晶所展现的短暂一生中，或从对每句话都能做出反应的水中，感受到水向我们传递的精彩信息。

在听到幸福这个词的时候，你的脑海中首先会浮现出什么呢？

是恋爱成功的时候，还是孩子出生的瞬间？是工作进展顺利的时候，还是休息日躺在公园中眺望湛蓝天空的时刻？

每个人划过脑海的内容一定是千差万别的。对每个人来说，幸福都各不相同。但除了特别怪异的人，不论是谁都希望拥有充满幸福的人生。

如果你希望自己现在的人生幸福，那么只有一个办法——调整波动去对应幸福。

由此我们也可以理解，为什么许多成功人士都会异口同声地说："我们一定要从积极的一面来考虑事情。"如果总是往好处想，好事就会发生。相对的，如果对任何事情都抱持悲观的态度，只想到不好的一面，那么肯定会发生让你头痛的麻烦事。这就是共鸣。

宇宙中的万物都有波动，都按照波动的法则存在、发展。所以，如果你发出幸福的波动，幸福自然而然会走到你的身边。

但这不是简单说说就能理解的事情。如果必须调整到和幸福同一个波动频率，那到底应该怎样做才好呢？

幸福的本质到底是什么，我们可能不太明了。原本深信不疑的幸福，实际上仅仅是单纯的“幸福的感觉”。或者原来认为很幸福的事情，在与其他人比较之后，马上就像在海边垒起的沙堡一样，一下子就倒塌，不见踪影了。

在我访问德国的时候，女儿告诉了我一件事情。她现居荷兰，这件事情是她从朋友那里听来的。她的朋友在柏林墙被拆除的时候，住在东柏林。

柏林墙的建造对德国人来说，实在是一件不幸的事情。不过，虽然那里的街道被分为东西两个部分，那里的人并没有和亲人分离，他们在生活中也没有任何的不自由。而且,因为看不到墙壁的另一侧，东边的人们虽然生活简朴，却也有自己的幸福。但是在墙壁被拆除以后，从西边流入了各种各样的东西，这成了不幸的开端。

新的商品越来越多，人们很想设法搞到手，可是因为生活窘迫，无论如何也买不起，于是欲望愈发膨胀。这时人们开始怀念墙壁存在的时代，当时虽然贫穷，但物价很低，还能维持生活。

墙壁的拆除和德国的统一，在近代史上是让全世界的人都感到高兴的事。但在背后，又有许多人对贫困和种种无法忍受的现象感到愤怒，这也是事实。

这难道不是我们应该好好思考的问题吗?

当开始拿自己的处境与他人进行比较时，人也许会在不知不觉中与不幸的波动产生共鸣。

如果只在自身之外寻求，我认为那个人不会得到真正意义上的幸福。

但是，我们总会不由自主地产生错觉，认为只要能得到昂贵的物品或一大笔钱就会幸福。也许可以说，这是已经形成的通常的价值观。

在电视、广播和网络上，铺天盖地的广告词想撩动我们的视听感官，并传达着多种多样的纷繁信息，但其中都贯穿着一个口号：

“再多买些吧，让我们拥有更多。快来买新产品吧！”

即使买了新产品，我们仍然不能放下心来。那种产品式样已经过时，具有新功能的产品又上市了，今年的流行色又变了……齿轮总是不断地旋转，我们的房间里堆满了各种几乎已不再使用的电子设备、一次也没有穿过的衣服。

停止齿轮的转动，在当今社会是件忌讳的事情。因为这个齿轮连着下一个齿轮，高速旋转是社会运行的原动力。

只要生活在文明社会，我们或多或少都会被编入社会体系之中。

经济利益这个巨大的怪兽深知我们最薄弱的部分，这就是我们内心的致命弱点——“优越感”。

要比别人的东西更多，要比别人更有钱，要住在更大的房子里，由此就能感觉自己比别人更伟大。大家是否都有过类似这样的体会？巧妙地刺激每个人都有的“优越感”，让大家买更多的东西，这就是现代社会体系的本质。

积攒钱和物，是阻止地球资源流动的行为，同时也抑制了生命的能量。

人类用数千年的时间构建了这样一个成体系的世界。今后最重要的是“循环”。人们必须经常考虑到流动。除了考虑如何去挣更多的钱，还需要考虑如何更好地花钱，因为人在一生中使用的钱是有限度的。

同样，我们从地球上得到了多少资源？我们让多少东西得以循环？对此，必须从大的视角来考虑。地球也是有限的。

人类目前正处于必须改变生存方式的重要转折点。如果不能好好地调整轨道，在地球上生存也许会变得很困难。

寻找幸福，实际上最终是寻找自己。

正如梅特林克的著名童话故事《青鸟》中所说的，幸福并不在其他地方，就在你自己手中。

觉得激动万分，体会到生存的无限价值，忘我地热衷于某件事情——大家儿时肯定都有过这种体验。长大以后，这些感觉都被收

水结晶展现给我们的两分钟的一生

水结晶从形成到融化仅有两分钟，这是人生历程的再现。

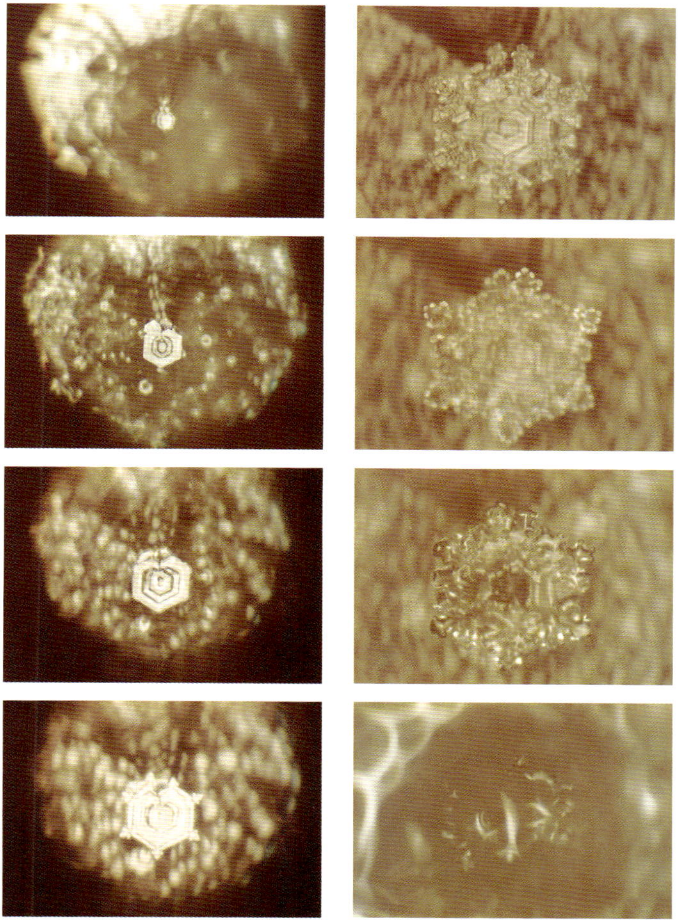

左：出现在冻结水滴边缘的小白粒开始变大，在短暂的时间内形成带有美丽装饰的闪烁结晶。

右：水结晶开始慢慢融化，一会儿就消失了。

水能够读懂文字

这个实验是让装在玻璃瓶中的水看文字。水如何解释文字含义呢?

幸福

水结晶太漂亮了，宛如被整齐切割的钻石，堪称完美。也许很好地保持平衡正是获得幸福的条件。

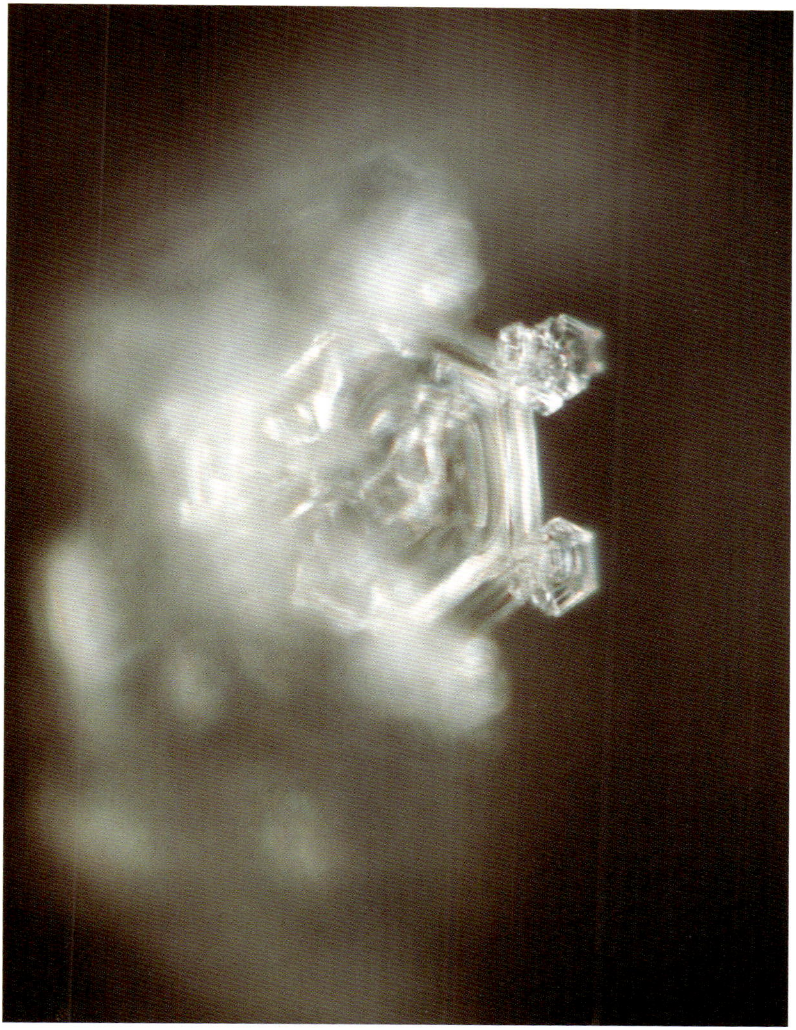

不幸

毫不匀称的薄薄的结晶，但看起来好像正处在形成过程中。看来不幸并不是幸福的对立面，而是通向幸福的必经之路。

努力吧

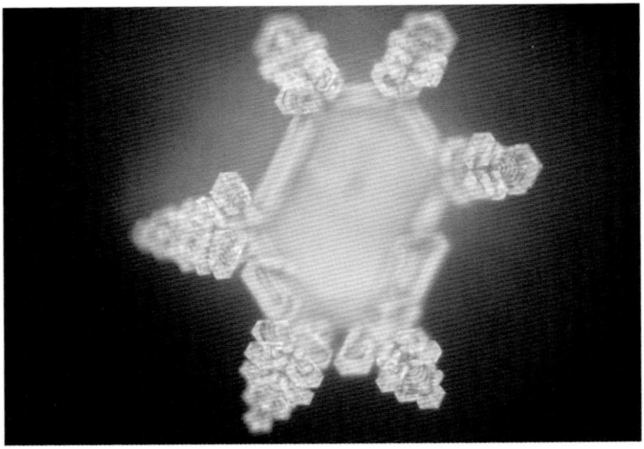

保持本色

看到“努力吧”，结晶好像因为有点紧张而萎缩了。“保持本色”也许是伸张个性的话语，所以结晶形成了自由伸展的独特形状。

真漂亮

必须变漂亮

让水看“真漂亮”时，结晶形成了自然的美丽形状。看到“必须变漂亮”时，结晶形状有些歪斜。还是不要施加压力，鼓励其保持本色比较好。

做得真不错

当水看到“做得真不错”时，形成了整齐美丽的结晶。这表明如果诚恳表扬别人做过的事情，就能带来更好的效果。

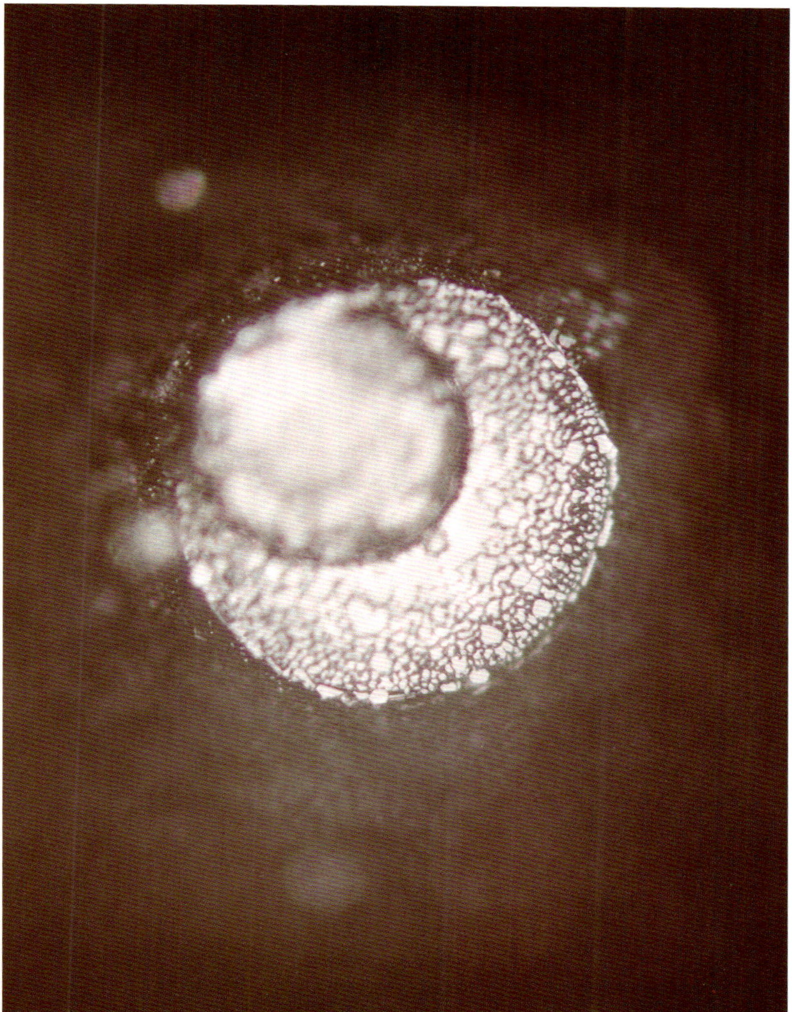

你不行

如果看到“你不行”，水便无法形成美丽的结晶。被别人这样说时，谁都会失落消沉。大自然的词典里，也许根本没有“你不行”这样的字眼。

喜欢

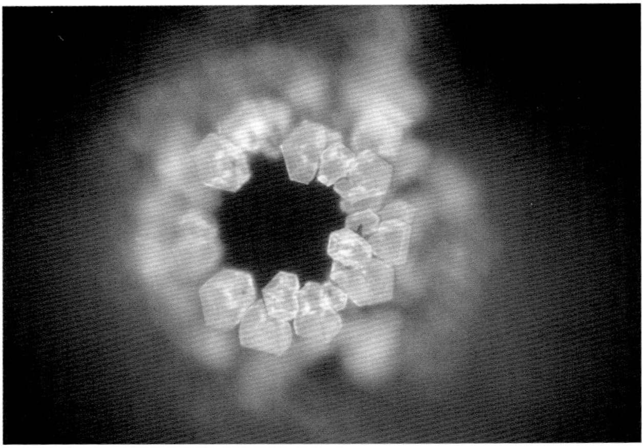

讨厌

看到“喜欢”,结晶好像高兴地敞开了心扉。对于“讨厌”,结晶表现得正相反,好像要将自己封闭起来,中间形成空洞,也许是因为生命的能量被掠夺了。

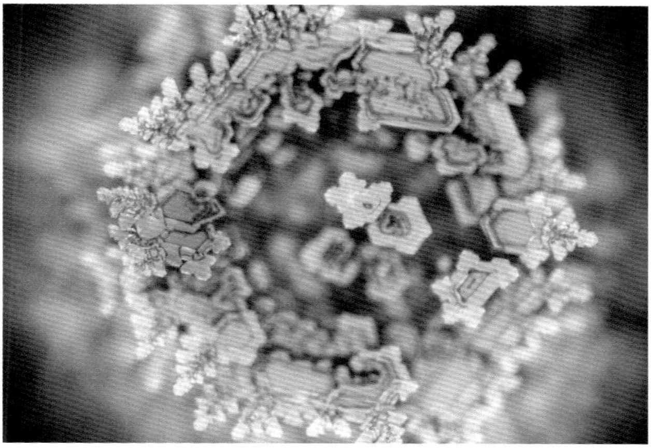

力量

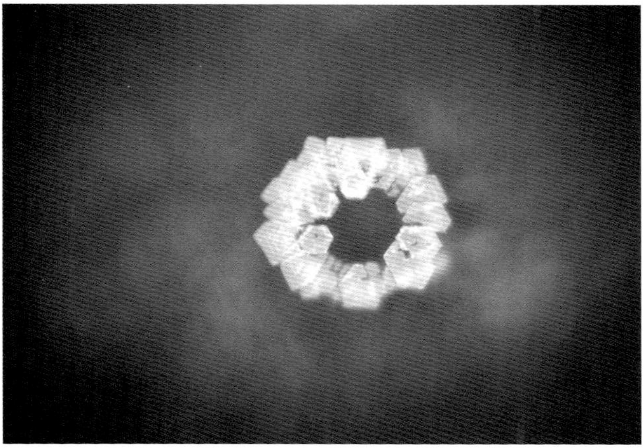

无力

“力量”的结晶虽然很独特，但杂然无序，看来任何事情单凭力量是不够的。“无力”与“讨厌”效果相似，好像力量被剥夺，因此中间成了空洞。

专心致志

专心致志地做某件事会形成最大的力量。结晶太大了，用相同的放大倍率已无法收入镜头。下面的照片是调低倍率拍摄的整体。

谢谢

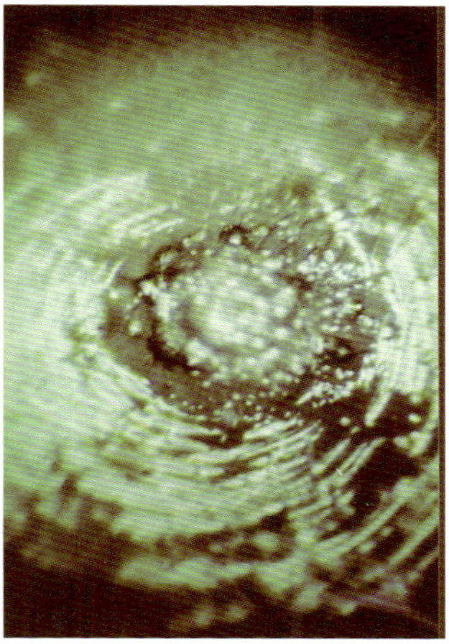

混蛋

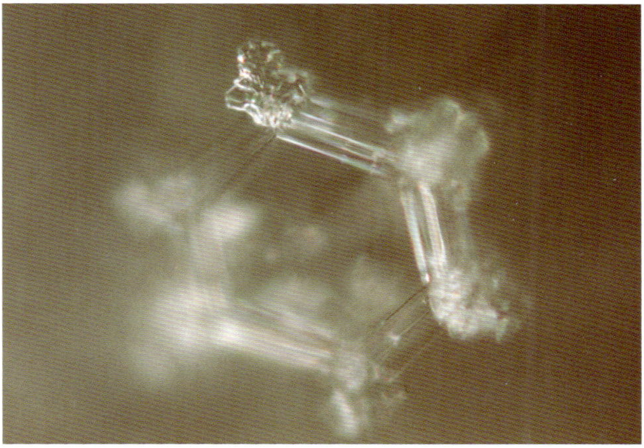

谢谢和混蛋

如果将《水知道答案》中介绍的两种说法合而为一，形成的结晶虽然很单薄，却成了六角形。看来“谢谢”的力量比“混蛋”强大。

谢谢（马来西亚语）

谢谢（他加禄语）

谢谢（葡萄牙语）

这是与《水知道答案》相关的“谢谢”系列。马来西亚语形成的结晶非常独特。由于语源各有差异，水向我们呈现了很有个性的结晶。

战争

和平

看到“战争”的水结晶是在美国同时发生多起恐怖事件两个月前拍摄的，形状像是客机在冲入。看到“和平”的水结晶像人们友好地手拉手的样子。

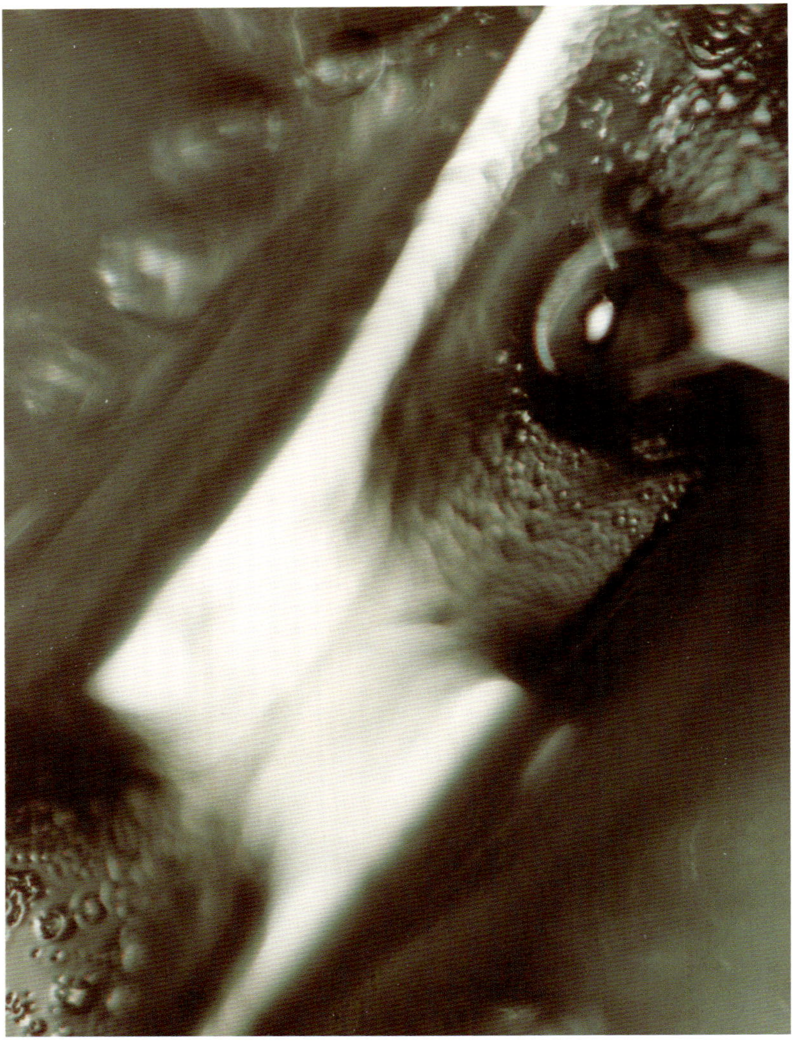

2001 年 9 月 11 日 · 纽约

让水看了“美国同时发生多起震惊世界的恐怖事件”后拍摄的水结晶照片，其中一张就是这个样子。照片好像真实地反映了那一天噩梦出现的情景。

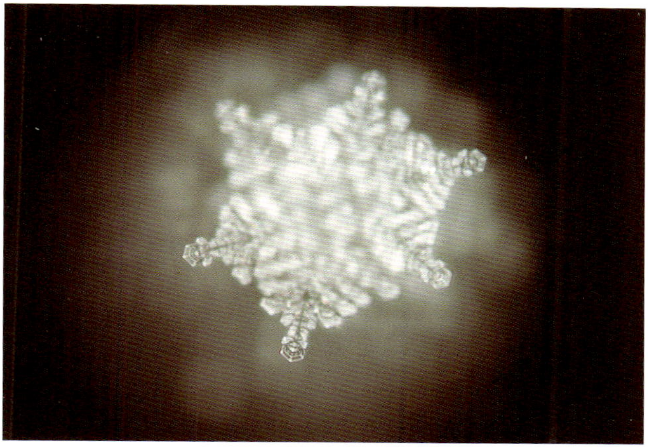

共存

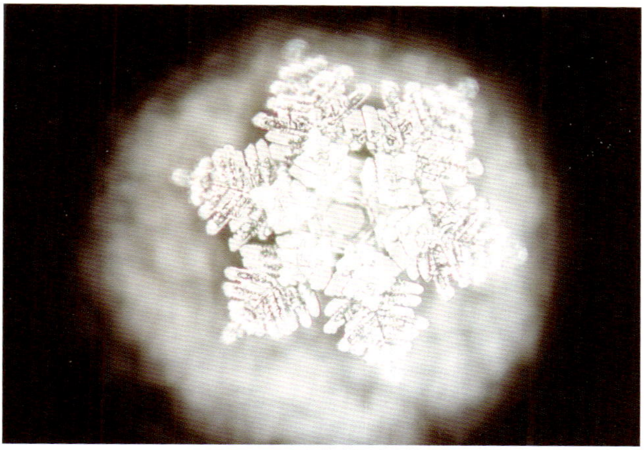

竞争

看到“共存”的结晶好似自然地连接在一起。看到“竞争”的结晶则出乎意料地异常美丽。看来遵循一定规则的合理竞争是必要的。

放心

形成了非常舒展的大结晶。现代人最需要的也许就是这个词。这是想装在口袋中，不论去哪儿都带着的照片。

福神

穷神

看到“福神”的结晶感觉很圆润，看到“穷神”的则尖尖的，好像很不愉快。如果整日怏怏不乐，福神是不会光临的。

夫妇之爱

夫妇中一方呵护另一方，另一方可以完全依赖对方，这种关系不是很好吗？当然，根据情况两人的位置可以互换，不过我总是被呵护的一方……

妈妈做的饭菜

方便食品

妈妈做的饭菜令我们怀念，总是热腾腾地散发着香味。也许不能一概而论，不过方便食品……

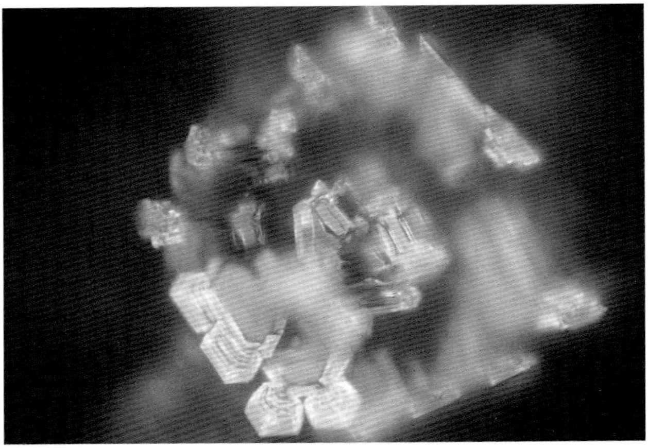

物质和金钱

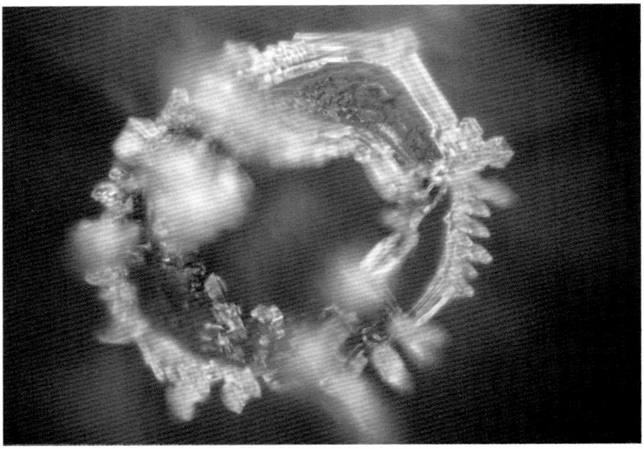

石油

现在使社会运转的就是这些东西。它们本身并没有什么过错，但如果过于倚重它们，就会破坏平衡，导致混乱。

麻

这种植物有望成为一种能源。它能够制造出多种产品。正如大家看到的，它的波动也较好。

具有治疗功效的沁人心脾的旋律

这些是为我们带来治疗功效的优美音乐。如果让水听了这种音乐，会形成怎样的结晶呢？

亚伦·鲁贝克《心琴》

治疗功效是亚伦先生的钢琴演奏所追求的目标。水听了他的钢琴演奏后，全部形成了纹理细腻且具有光泽的结晶。这证明了音乐的治疗功效。

斯美塔那《沃尔塔瓦河》

单是看这美丽的结晶，就能感受到蕴含在音乐中的慈爱。结晶忠实地再现了原曲的优美旋律。

门德尔松《婚礼进行曲》

婚礼上飘荡的华美喜庆的进行曲。正如该曲的曲调一样，结晶宛如盛开的艳丽花朵，仿佛美丽耀眼的新娘就浮现在眼前。

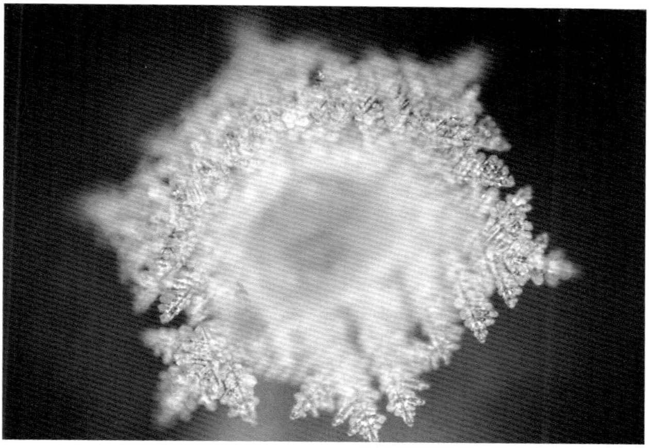

瓦格纳《飞翔的女武神》

萨拉萨蒂《流浪者之歌》

活跃在十九世纪后半期的两位作曲家的作品，虽然曲风完全不同，但水听后都形成了具有个性的耀眼结晶。由此可以判断,他们的音乐具有治疗功效。

施特劳斯《蓝色多瑙河》

伊凡诺维奇《多瑙河之波》

多瑙河流经维也纳的街道。让水听了两首以河水流动为旋律的曲子，形成的结晶形状工整，感觉顺滑灵动。

阿尔比诺尼《g 小调柔板》

舒伯特《圣母颂》

阿尔比诺尼的《g 小调柔板》的主旋律悲哀苦闷。听了舒伯特的《圣母颂》后，水结晶形成了充满爱的整齐均匀的形状。

《音乐之声》中的《雪绒花》

在德语中，“雪绒花”有“高贵的白色”的含义。正如它的名字一样，结晶清晰洁白，正中央看起来像一面镜子。

《奇异恩典》

诞生于美国的宗教名曲。也许因为曲中本就包含着赞美和感激，结晶让人感到庄严和神圣，非常漂亮。

来自英国凯尔特地区的民谣

爱尔兰女歌手恩雅曾经演唱过讴歌凯尔特之魂的歌曲，水听后呈现出与她的歌声相符的纯洁无瑕的白色结晶。

筝曲《六段》

雅乐

水听到日本传统音乐，形成了美丽整齐的结晶。听了筝曲的结晶，呈现出像是筝的音色互相重叠的样子；听了雅乐的结晶，让人感觉到雅乐的井然有序。

小曲《鹤龟》

三弦曲《松绿》

这两首是日本传统曲目。听过《鹤龟》的水结晶好似一只乌龟，实在有趣。据说《松绿》这首曲子唱的是烟花巷的故事。

藏到抽屉的最里面了，还用锁锁住，最后甚至忘记钥匙放在了哪里。

但这些感觉并没有消失。如果你想要，随时都可以取回。当你诚实地面对自己的灵魂，开始寻找想做的事情时，你的人生会再次开始流动。

所以，不论是工作、游玩还是谈恋爱，都要以能让你内心真正感到万分激动为出发点。如果以前从来没有这样的体验，那么你的人生应当转变一下了。

这样身体会变得健康，充满活力，因为激动的心情能使占我们身体绝大部分的水变得干净美丽。如果取得水结晶的话，肯定能形成绝美的形状。

在癌症的治疗方法中，有一种“生存价值疗法”。这种疗法是让患者切实感觉到生存的意义。比如听相声或者看喜剧后捧腹大笑，或者去做演讲、去登山等，由此来增强身体的免疫力，使癌细胞减少，从而降低发病率。感觉到生存价值，就是在生活中找回激动的感觉。

心理状态对身体的影响在医学界已逐渐成为常识。让全身充满兴奋的波动是健康生活的最大秘诀。

另外，激动和兴奋还可以使人的各种能力大大提高。因为人在做自己喜欢和擅长的事情时，都会变得激动和兴奋。

作为经营顾问的船井幸雄先生，曾经在船井综合研究所对三千家公司进行过经营指导。他曾说过，不论是公司还是个人，提高能力都需要窍门，其中一个窍门就是“优点发展法”。

简而言之，就是只着眼于好的地方，并使其尽可能地发挥优点。在这种情况下，可以尽量做到不看缺点。这样每个人都能尽量发挥能力，不足之处也得到改善。

商店里总会考虑该如何处理销路不好的商品。但即使是不好卖的商品，其中也有某些销路好的。举个例子，假设女装店的连衣裙卖得较好，便可以将更多的连衣裙摆在显眼之处，提高营业额。

总之，需要让我们的眼睛更多地关注“销路最好的商品”“销量有增长的商品”“高利润的商品”，并强化这种印象。

这种做法同样适用于人。最好是先发现这个人最喜欢、最擅长的事情，也就是找到他的兴奋点，然后让他随心所欲地做这件事。这样，他的能力在各个方面都能够得到很好的发挥。

由此，我想到了水耕栽培法。运用这项技术，一株西红柿的枝干上竟然能收获上万个果实。

为什么会出现这样的奇迹呢？用一句话来概括，就是创造了能让西红柿随意生长的环境。

一般情况下植物都在土壤中扎根，可水耕栽培法却让植物在能提供充足养分的水中扎根。土壤会阻碍根部的伸展，水则不同，根在水中完全能自由自在地伸展，吸取所需的养分。

根部能够自由伸展，所以西红柿潜在的能力得以全部发挥出来。我以前曾经拜访过水耕栽培法的开发者——已故的野泽重雄先生，参观过他实验农场中用水耕栽培法培育的西红柿。整株枝叶的样子确实令人惊叹。

人类也是一样。不论学习还是运动，处于成长期的孩子在做喜欢的事情时，应该鼓励他们。如果能够做到，更应该巧妙地鼓励。

“做得真不错”这句话说得越多，孩子的表情肯定会变得越有生气、越开朗，并能最大限度地发挥才能。

对别人说什么样的话才能使他的能力日趋提高呢？水结晶清楚地告诉了我们答案。

如果让水看到“必须做……”，则无法形成美丽的结晶。“混蛋”这个词也一样。最不能说的一句话是“你不行”。这些词最好从你的字典中删掉。

取而代之，应该说“谢谢”“让我们一起干吧”“喜欢你”“真漂亮”“做得真好”……我们应该尽量把这些美丽温暖的语言送给其他人。

使体内的水呈现出美丽结晶的话语，能让我们保持平静文雅的心情。这时人们都能充分发挥特有的能力，生气勃勃地面对任何事情。

以下的例子在《水知道答案》中曾介绍过。把米饭装在三个瓶子中，对一个瓶子说“谢谢”，对一个说“混蛋”，对最后一个则什么都不说，无视它的存在。结果，说“谢谢”的米饭发酵并散发出香味，说“混蛋”的米饭腐烂变黑了。腐烂程度最严重的是无视其存在的米饭，散发出刺鼻的臭味。

再补充一下。结果出来后，将三个瓶子拿到了一所小学（为我们做这个实验的是小学教师）。过了一段时间，三个瓶子中米饭的味道都变成了酸甜的发酵味。

这表明，即使是一度腐烂的米饭，如果再次关注它，对它说话，它同样能重生。这件事给予我们许多启示。

比如生病，活性氧簇导致的氧化是生病的根本原因。这意味着拥有健康上进的心情，任何疾病都有被治愈的可能。

担任日本 Holistic 医学协会理事的寺山一翁先生，往常拼命工作，结果患了肾癌，并已到晚期。后来他坚持每天早晨都在自家公寓的楼顶上看日出，癌细胞竟然渐渐减少，最后痊愈了。

寺山先生说，看着灿烂朝阳的时候，不知不觉地意识到生命充满活力，口中自然而然地说出了“谢谢”。开始正视癌症，并对它说“谢谢”，结果细胞开始复苏了。

打招呼这件事对生命的影响有时会超出我们的想象。

有位十岁的少女，用同样的方法做了向日葵的实验。

首先，在装有向日葵种子的信封、花盆以及装水的塑料瓶上分别写上“谢谢”“混蛋”，然后一边说一边撒种子。

结果，对其说“谢谢”的向日葵长出了光滑圆润的叶子，而且长得很高。而对其说“混蛋”的向日葵，叶子的形状参差不齐，主叶有的弯曲，有的不平整。

如果用显微镜观看茎的断面，会发现对其说“谢谢”的向日葵茎的纤维非常紧密；而对其说“混蛋”的向日葵茎的纤维颗粒很大，有变形和许多空隙。

植物同样有生命，甚至有自己的意志。对它们说不同的话语，培育出的植物竟然有如此大的差别。做这个实验的少女的母亲也给我寄了信，在信的最后这样说道：“如果是培养孩子，会产生怎样的结果呢？”

可以认为，语言就像开关，能够调和我们与宇宙万物的频率；或者说像遥控器，能打开万物的开关。

只有人类能自由自在地运用语言，这就意味着人能和宇宙中的万物交流，而且波动是瞬间传递过来的。语言和思绪在产生的瞬间，能够飞往任何地方。

我们有时会有“第六感”“巧合”等体验。远方的亲人或非常亲密的人去世的时候，不知为什么会梦到这个人。也许很多人都有过这样的经历，比如刚刚突然想起一个朋友，那个人就打过电话来了。

这些都是思绪的波动能做到的事情。

波动会超越时空。你现在所想的，确确实实会影响世界。

如果明白了这一点，你会理解为什么改变命运的钥匙就握在自己的手中。

如果从波动理论出发理解幸福，可以这样说：

只有幸福的人生是不可能的。只要生命存在，不幸就会来临。

好不容易鼓起的希望，会不会因为这句话而枯萎呢？那么我们可以换句话来说：

不幸，是你找到幸福的必经之路。

让水分别看了“幸福”和“不幸”两个词，然后拍摄结晶照片。结果正如幸福的含义，看了这个词的水结晶带有可爱的装饰，美得如同宝石，甚至想拿它做戒指。

那么看了“不幸”的水又如何呢？原本以为会支离破碎，完全不成形状，结果却相反，六角形的结晶只形成了一半，感觉它正在拼命地想形成结晶。看来不幸并不是幸福的对立面，而是通往幸福的必经之路。

有句话叫“塞翁失马，焉知非福”。做任何事情，既有一帆风顺的顶峰期，也有处处受挫的低谷期，这就是波浪。波浪正是由于反复地上下运动才得以流动。

人生亦是如此。但是许多人却在躲避低谷，希望只有顶峰，这其实是不自然的事情。这样就无法形成波浪，不能向前方流动。

幸福（或者说被认为幸福的事情）之中，必然有负面的部分。

谈恋爱时，每天会很兴奋很快乐，但也有许多让你苦恼和必须忍耐的事情，比如约会地点和花费，以及如何安排休息日的时间等。吵架的时候也许会想："还不如一个人过轻松。"

即使买了性能十分优良的高档轿车，也不可能一直沉浸在幸福中。每次开车时都提心吊胆，担心车子损坏，维护和保养也非常麻烦，甚至还得装监视器。

我们不可能只感受事物好的一面。要想得到幸福，必须有相应的思想准备。

这是居住在三维空间的人们的命运。这样说也许有些夸张。但正因如此，我们在生活中才能满怀希望，梦想着美好的明天。如果任何事情都一帆风顺，那么还有必要对明天抱有希望吗？

任何时候，能不能幸福都取决于你的内心。

人们为什么要不停地追求幸福呢？狗和猫会觅食，寻求安逸，但不会像人类一样为了追求幸福拼命奋斗。这也许是因为，只有人类才可以调整波动去获得"幸福"。

这已是几年前的事情了，经济学家巴特拉博士在谈话时说了这样一段话：

> 人类为何会无止境地谋求幸福呢？因为人与“无限存在”是相连的。但是，许多人却犯了一个很大的错误，他们把幸福的基准放在一些有限且不断变化的事物上，比如财富、名声或者一时的快乐。
>
> 即使是拥有难以置信的庞大财富的亿万富翁，有人仍然不知满足，继续追求财富。但不管如何追求都无法得到满足，因为他们是在财富这类有限的东西中寻求无限的幸福。
>
> 如果不能与无限的存在成为一体，就没有真正的幸福。为此，只能改变人们的意识。

能用眼睛看到的世界是有限的。或者说，正如“诸行无常”这句话所表达的，有限的存在不知何时就会消失。想从这些东西中谋求幸福，人们的内心永远得不到满足。

虽然这样说，但是人们很难抛开欲望。欲望本身并没有错，适度的欲望可以使人有上进心；正因为有欲望，人类文明才能发展到现在的程度。问题是人类已成了欲望的奴隶。现代文明就是靠煽动人们的欲望才得以成立的。如果完全沉浸其中，就会陷入无间地狱，因为欲望会产生新的欲望，不论何时都无法满足。

在由欲望支撑的社会中，很难找到幸福。

在现代社会中，我们必须重新找回的是什么呢？是感激之心。

看了“爱”与“感谢”的水，向我们展现出完美绝伦的结晶，甚至让我们感觉都并非这世上存在的东西。

正因为身处这样的时代，满怀感激地生活才显得重要。我想，让感谢和爱保持二比一的比例来生活恰到好处。是的，正如水的分子式“H_2O”一样。

感谢不需要任何条件。我们能生存，能自由地活动身体，这些都值得感谢。

爱别人，也被别人爱着，能坦率地说出“谢谢”，只有这样的人才能在任何时候从内心体会到幸福。

当调整内心的波动对应“爱与感谢”时，一滴幸福的水会滴落到你的心中，然后扩散到全身。那时，你便与幸福的波动相连，这样现实生活就会充满幸福。

就在这一刻，在此地，你得到了幸福的秘诀。

水奏响具有治疗作用的旋律

如果你现在由于某种原因心情非常低落，或者对生活有些厌倦，或是别人不经意说出的话像刺一样扎在你的心中无法抹去，这时候，我建议你去看水。

你可以走到附近的水池或河边，眼睛注视着泛着涟漪、反射着阳光的水面。如果是雨天，你可以凝视雨滴，看它们在柏油路的水洼中描绘出无数个圆圈后消失。

脸盆中的水被窗户透进来的柔和光线照射时，会形成几何图案，你可以从中得到乐趣。从自来水管中流出的水会形成混合着无数色彩的光柱，你可以出神地望着光柱流畅晃动的样子。

这时，水会将你带到另一个世界。

不知不觉中，你会感到心灵被洗净，恢复了原有的节奏。

你只是暂时忘记了万物都在流动的特点。

这种时候，水会温柔地治疗我们，使我们的身心得以放松。水让我们想起万物都在流动。

生存实际上就是在流动。你体内的水也希望能够流动。同样，你的内心必须保持流动。

如果有人曾经伤害过你,请你原谅他吧。如果你曾经伤害过别人，也应该原谅自己。只有这样，才能更加自由地朝着未来流去。

如果失恋的伤痛没有被治愈，无法再次振作起来，也无可奈何。不过，人生之河的水流也许会把我们带到超乎想象的精彩世界。

宇宙在每个瞬间都为我们准备了精彩的内容。只要做好准备，你随时都能抓住它。

任何瞬间都是人生旅途中的一站。能认识到这一点，你就会觉得沉浸在过去不能自拔，或过分拘泥于某件事是多么无聊。

水的流动的确教给了我们许多事情，生存、原谅、信任……如果让思绪驰骋在人生的旅途上，并侧耳倾听，或许能听到流淌在体内的清澈的水声。那就是生命的声音，是具有疗救作用的旋律。

人体内流淌的水，与大自然中流淌的无限的水相连，而且联结着宇宙奏响的生命旋律。

在欧洲，人们自古以来就认为月亮是掌管水的，支配着水的活动，极大地影响着人们的生活。

从事农业的人们使用的“农历”中有“月亮星座”。太阳星座是将一年分别对应十二个星座。与之相对，月亮星座是将一个月分别对应十二个星座，即二至三天对应一个星座。这告诉我们，农业和百姓的日常生活都遵循着月亮的循环。

月亮引起了潮起潮落，激发了海水的流动。不仅如此，占人类身体百分之七十的水同样受月亮的影响。

牡蛎能感受到来自月亮的引力，在涨潮时打开外壳。海胆的生殖周期与月亮的循环完全一致。海龟大多在月圆之夜来到海滩产卵，肯定不单纯是因为明亮。

据说在月圆之夜，人类的出生率也很高。以前的产婆出于经验，对这些情况比较了解。

感觉敏锐的人，在月圆的晚上能感到浑身充满能量。这种能量有时会使人发狂。

英语中具有“发狂”含义的词“lunatic”，原来的含义就是“受月亮影响”。

另外，受月亮循环直接影响的是女性的身体，对此无须赘言。

由此我们可以明白，为什么世界上许多古代文明都使用阴历。

如果能与月亮的运转成为一体，人类就可以按照体内水的流动来生活。毫无疑问，这就是一边聆听大自然的脉动一边生活，是现代人已经忘却的生活智慧。

我很早以前就关注过玛雅人使用的“十三月历”。何塞·阿圭列斯和劳丁夫妇制定出这种历法，并努力想推广到全世界。

他们认为，如果人类在世界范围内采用这种历法，便能在生活中体会到自然的节奏，找到解决现代文明面临的各种问题的突破口。因此，他们开始向世界推广这种历法。

在这种历法中，七月二十六日是新年的开始。每个月为二十八天，用一年的三百六十五天除以二十八天，就成了十三个月零一天。

玛雅历法将一年中多出的这一天定为“脱离时间的一天”。在这一天，人们停止所有的工作，对自然万物奉上自己的赞美，谈着幸福和繁荣，一起跳舞欢笑直到天亮。

那个时代的人按照月亮的循环安排日常活动，所以生活节奏与自然节奏合拍。人类的身体就是小宇宙，如果能与无限广阔的宇宙成为一体，就可以在生活中感受到流动于宇宙间的无限能量。

当我们重新作为宇宙中的一个生命而生活时，也许就能过上最简单、最自然的日子了。

现在许多人都想得到治疗。在发展飞速、已变得相当复杂的人类社会中，人们期盼赶走疲惫和伤痛。

倾听飘荡在宇宙中的音符，身体能感觉到旋律的存在，这时体内的水也许会形成美丽的结晶。现在有很多人在追求这种生活方式。

钢琴家亚伦·鲁贝克演奏的音乐，向我们证明了治疗对人类来说是何等必要。

亚伦先生在美国是十分活跃的钢琴家。他一直精力充沛地从事各种工作，曾参与过电视广告、DVD 的音乐制作，自己还成立了唱片公司。

他弹奏的钢琴曲曲调柔顺，有透明感，甚至听一听就能感到身体似乎变得很清澈。

年轻时的一次经历，让亚伦先生发自内心地感受到音乐具有的“治疗”功效。从那以后，他开始把作曲的出发点放在“治疗”上。

亚伦先生从三岁开始弹风琴，九岁时开始专心学习作曲和演奏钢琴。极具音乐天赋的他在上高中的时候却出了意外。他在上体育课时受了伤，右手腕的神经被切除了。

那之后的几个月内，他无法再弹钢琴，手指肌肉萎缩，失去了力量。

作为钢琴学习者，这是致命的打击。他整日悲叹命运，一想到自己的音乐生命从此就要结束，恐惧就席卷全身。他曾多次考虑放弃学习，但最终仍然坚持坐在钢琴前面。

日子一天天过去，有一天，他尝试着将心情坦率地寄托在手指上去抚摩键盘，他的心里形成了一种旋律，飘荡在空中。

亚伦先生说，他当时感到了手指的喜悦，体会到了流动在手指间的生命能量，感到钢琴的响声和手指产生了共鸣。

不可思议的事情发生了。亚伦先生的手指此后奇迹般地逐渐恢复，能弹奏出比以前更美的乐曲。

认识亚伦先生是在六七年前，是一位开发我使用的波动测定仪的科学家介绍给我的。

在那位科学家的帮助下，我马上请亚伦先生作曲，制作了用音乐来表现波动的CD，音乐是为提高免疫力设计的。我们把音乐播放给水听，并拍摄了水的结晶，用仪器测定它拥有怎样的波动，并标明是具有治疗功效的曲目。

将结晶照片拿给亚伦先生看时，他非常吃惊，因为每个结晶的形状都与作曲时他的印象完全一样。不用说，这些结晶都特别细腻、美丽和完整。

亚伦先生意识到“音乐具有治疗功效”，并为此而演奏，这样的艺术家并不多见。不过，历史上知名的作曲家创作的古典音乐曲目、著名的爵士乐以及流传于世界各地的民族音乐，都具有独特的治疗效果。水听了这些音乐后，大多向我们展现了非常美丽的结晶。

让水听著名的古典音乐曲目后，拍摄结晶照片，然后用波动测定仪对其进行测定，最后得知，音乐产生的波动对人的身心具有治疗效果。以下介绍其中的一部分。

《沃尔塔瓦河》（斯美塔那）———强烈的焦急感———促进淋巴的流动。

《蓝色多瑙河》（施特劳斯）———缺乏忍耐———激活中枢神经。

《罗恩格林》（瓦格纳）———自我怜悯———减轻关节的疼痛。

《天鹅湖》（柴可夫斯基）———强迫观念———使关节活动自如。

《牧神午后前奏曲》（德彪西）———环境压力———减轻和预防腰痛。

所谓的好音乐确实能让我们的身心得到疗愈，特别是经历了时代风雨的磨炼后仍然流传下来的古典音乐，应该具有很好的效果。听了这些音乐的水变得特别有活力，形成美丽的结晶。

另外，音乐保留了它产生的时代和地域的氛围。例如，为什么现代爵士乐会出现在纽约呢？据矢泽透先生（曾是风靡一时的著名乐队“阿利斯”的鼓手）的说法，也许可以这样来推测：

爵士乐原本是由黑人演唱的布鲁斯发展而来，在新奥尔良与铜管乐器演奏的摇摆乐相结合，形成了明快豁达的新奥尔良爵士乐。

那时的爵士乐以非常简单的和声为主，据说是“do mi sol do fa la si re sol”的三连音，因此有单纯明快的感觉。

不久，爵士乐的中心转移到了纽约。二十世纪四十年代后期，也就是自第二次世界大战结束时起，被称为现代爵士乐的新爵士乐出现了。

在现代爵士乐中，和声变复杂了。例如，将 do 和 re 或者 do 和 si 这种在一般情况下会产生拍频的音组合在一起，再加上其他的几个音，就能形成独特的、现代而前卫的音调。

如果说单纯的三连音对以往简单的人际关系具有治疗功效，那么现代爵士乐的和声，则正好对应已经复杂化的人际关系。为了消除 do 和 re 的拍频，必须有更多的声音参与进来。

每种音乐都代表当时那个时代的声音，压力随着时代的变化而变化，与其波动对应的音乐就会创作出来。音乐不仅是艺术，还是一种药。

我认为，波动医学的时代即将到来。

现在的人得了病，就会去药店请人开方买药。今后，开出的处方可能就包含与各种症状相对应的具有治疗功效的音乐。这种时代的到来也许会出乎意料地快。

按照以往的医学观点，如果有人得了病，就要对症下药，或者动手术。波动医学则是探究症状背后存在的另一种东西，那就是疾病独有的波动。

任何症状都有独特的波动。比如癌症患者，实际上他的周波数与癌的波动正好相符。

如果掌握了这个周波数，就可以在振动形成的波形上加上与之完全相反的波形。这样疾病的波动就会消失，症状也随之消失。

在波动医学的理论中，不仅要治病，而且必须考虑到症状背后隐藏的真正病因，还必须治疗那些消极的感情因素。

比如肝脏不好的人大多爱发火，据此可以认为，“发火”的波动和构成肝脏细胞的基本粒子的波动相同。

同样，“悲伤”的波动与血液的波动一致，因此容易导致白血病或脑出血；“焦躁”会损坏神经系统，导致疼痛或肩膀酸痛。

波动医学的另一个重要特点，是把人体作为一个宇宙来考虑。

我们的身体由六十兆细胞组成，这些细胞都发挥着各自的作用，彼此协调一致。

器官、神经或细胞各自具有独特的振动。用声音来作比，就是各自发出不同的声响，一起演奏着大型交响乐。

身体不舒服实际上是因为某个音节不正常，成了不和谐音。如果某个声音稍有紊乱，整体的曲调就会变得不正常。

牙科医生村津和正从“牙是脏器”这一独特观点出发，取得了很好的治疗效果。

有位一直无法用力握紧拳头的女患者，牙齿上有许多治疗痕迹，仅仅将她戴在上齿的几块金属取掉，调整了上下齿的咬合，她的手竟然就可以握紧了。腰疼和脚疼的毛病在结束治疗时也已痊愈。

也就是说，牙齿对全身都有影响，牙齿的异常会在意想不到的地方表现出来。村津医生说，牙齿也是控制全身的中枢。

以往的医学认为，人体就像由各个部件组装而成的机器，只要将感觉不好的部位治好就可以了。但即使某个症状消失了，如果在不同部位又出现了其他症状，那么治疗还是毫无意义，这被称为副作用。

与之相对，波动医学的目的是保持整个身体的健康。所以与其说“治”，不如说“愈”更恰当。

波动医学可以说是开拓未来的高超技术。但它并不是新出现的，它的原理在古代就广为人知，在生活中也曾实际运用。

人类自古就有的世代相传的智慧被重新认识，并运用于实际生活，这是可喜的事情。

为我们打开波动医学大门的是“花精”(Flower Essence)。所谓花精，是将花的能量与波动复制到水中，服用这种水，从精神到肉体都能得到某种治疗效果。

在这种情况下，被复制的仅仅是波动，并非将从花中提取的成分溶入水中。即使进行化学分析，结果也只是水。

花精二十世纪三十年代由英国的细菌学家爱德华·巴赫博士研制。巴赫博士制造的花精被推广到全世界。目前，能充分发挥各自特点的花精在世界各地被纷纷研制出来。

有一位拥有鲜花般灿烂笑容的女子这样说：

> 我们的身体是履行神圣使命的工具。为了实现那个目的，我们必须从恐惧、叹息、悲伤、疑惑、急躁、软弱、漠然等扭曲的感情中解放出来。
>
> 扭曲的感情会导致身体出现各种症状。现代医学还无法处理这些已成为疾病根源的感情问题。而花精能够很有效地推动这些领域的发展。

制作花精的简单步骤如下：

首先，在天气晴朗的早晨，摘取大自然中盛开的鲜花。先摘取绿叶，用叶子包着花，手尽量不要直接碰到花。然后让花浮在盛于容器内的新鲜井水上，接受日光照射。四个小时以后，将井水稀释。

花精就这样制成了。

将花精装入小玻璃瓶中，再用水稀释，在舌下滴上几滴。这样治疗身心的方式非常温和，当然也没有药品那些副作用。

印度的吠陀（相当于古印度婆罗门教的“圣经”）哲学认为，人体有七处“生命能源点”，通过它们可以吸取眼睛看不见的能量。花精能作用于这些生命能源点，其效果根据花的性质而有差异。

据说，五彩缤纷的荆豆花具有喜悦和激情的波动，对缺乏朝气、精力衰退、免疫力低下等有良好效果。樱草象征着和平，当人处于恐惧和惊慌中时，能使人恢复平静与和谐。

樱花也有精华，据说能够找回引导我们前进的方向，对于无法摆脱过去、总是消极地思考事情、总有自卑感和罪恶感的人很有效，能让他们重新拥有真挚地同情他人、关爱他人的心灵。

将几类花精用水稀释后拍摄了结晶照片。不用说，每个结晶都宛如盛开的鲜花，展现在我们面前的是一种舒展的美。

我们无法看到波动。因此，即使靠波动治疗了疾病，恢复了健康，也无法用以往的化学分析和医学检查来证明效果。

但据此就断定它没有效果，未免有些武断。在一些民间疗法中，有不少是以波动为治疗原理的。

水的波动能够治病，让世界对此有所了解的是顺势疗法。

所谓的顺势疗法，也就是同类疗法。为了消除某种症状，以10:12 到 10:600，甚至大得超乎想象的比例，用水将导致症状的毒素稀释，就制成了能够消除症状的药品。

这种药对具有类似症状的其他病症同样有效。例如，生漆会引起皮炎，导致皮肤红肿，顺势疗法对具有相同症状的湿疹和外伤都很有效。

切洋葱时会流眼泪和鼻涕。它的顺势疗法药物也适合治疗由感冒、花粉症、过敏等引起的流眼泪鼻涕的症状。

这就是顺势疗法的“相似治疗相似”原理。

据说这个原理最先由德国医生兼药师赛缪尔·哈内曼发现。他发现，如果健康的人服用治疟疾的特效药金鸡纳霜，会出现与疟疾类似的症状。

哈内曼于十九世纪初提出顺势疗法理论。随后，顺势疗法被迅速推广到欧洲和美国。

顺势疗法完全不同于以往的疗法，由于疗效显著，得到了广泛的认可。

十九世纪中期，法国就已经有四百多家顺势疗法诊所。在英国，顺势疗法早在一八三〇年就被王室采用。

在美国，从十九世纪末到二十世纪初，顺势疗法迅速普及，甚至每五个医生中就有一个是专门从事顺势疗法的。但是，许多医生和制药公司对此进行了严厉的批评，甚至以“打倒顺势疗法”为口号成立了医学协会。

一度从医学舞台上销声匿迹的顺势疗法，现在重新受到关注，获得了地位。

在今天的英国，顺势疗法医学院已经增加到三十所，还有国家顺势疗法专门医院。在法国，从街上的普通药店里就可以买到顺势疗法的药品。据说，德国医生中有百分之十采用顺势疗法。

在日本，近几年终于有更多的人开始了解顺势疗法。一九九八年，日本顺势疗法医学协会成立，希望今后能够加快顺势疗法的发展步伐。

顺势疗法早在两百年前就已经得到许多人的认可，受其恩惠的人可以说不计其数。但是，直到今天它仍然没有得到科学界的承认。知名科学杂志上登载过证明顺势疗法有效的论文，但都没有引起人们的重视，有的甚至需要加上“无论如何都难以置信”等文字才勉强得以发表。

许多科学家都这样说：“从科学的角度看，顺势疗法是不可能的。但确实有很多人在利用它。”真是自相矛盾。

水能够读取和记忆信息，这从根本上推翻了以往的科学常识。这些“非常识事件”在科学界经常发生。

琉球大学的教授比嘉照夫先生是EM（有效微生物群）的开发者，为了普及EM奔走于世界各地。

所谓EM，就是收集对人和环境有利的微生物，将其制成液体。

如果运用于农业，就能收获大量不用农药、不用肥料的优质农作物。如果运用于污水处理,可以将污水净化到饮用水的标准。最近还得知，它对处理烧毁垃圾时产生的二噁英有很好的效果。

比嘉先生在从事EM的研究时，遇到过一件非常不可思议的事。

装EM的陶瓷容器在使用完毕后，不论怎样清洗，都不能完全除掉EM。虽然也进行过高温杀菌，但唯独EM的特性就像渗入容器似的，不肯消失。

比嘉先生由此得到启发，开发了具有EM特性的陶瓷。许多构想（比如，将在七百摄氏度的高温中仍能活动的微生物的特性熔于陶瓷中）都推翻了以往的常识。EM陶瓷被实际运用到生活、环境、农业等许多领域。

所有物质都有固有的波动，传递这信息的就是水。水的分子像磁场一样，能够记录信息。波动既有对生命有利的，也有对生命不利的。即使是有利的波动，如果作为传播者的水受到污染，也不能进行正确的传播。

比嘉先生说，自然界中有复苏和毁灭两种流动。如果不把水果或蔬菜放入冰箱存放，它们就会腐烂并发出令人生厌的臭味，这就是毁灭。与之相对的复苏是指“发酵”。大豆如果发酵，就成了纳豆。酱、酱油、乳酪及酒等，都是经过发酵制造出来的。发酵后的东西绝不会散发出令人生厌的臭味。

虽然这些都是微生物引起的现象，但是其性质却不同。只把引导事物向复苏方向发展的微生物收集起来，就制成了EM。

如果将EM运用于农业，就能提高土壤微生物的能量，因此可以不使用农药和化肥便种植出优质蔬菜。这既对人体无害，也不会使土壤恶化。

与之相对，农药和化肥是“毁灭型”的代表。的确，如果使用了农药，农作物就不会受到虫子的侵害，使用了化肥，可以培育出硕大的果实，但是昆虫和土壤中的微生物同时也被杀死了。尽管在短时间内可以见效，但最终会导致土壤恶化，甚至不能再种植任何东西。

现在的农业几乎都属于毁灭型，人类的参与打乱了自然的循环。

自然中的万物都是复苏型的。不论是动物还是植物，遗骸都会被微生物分解，成为植物或土地的肥料。所有的东西在这一过程中没有丝毫的浪费，都被充分利用。自然就这样创造了生命的循环。

当今社会，可以说所有的东西都是毁灭型的。

因为过于追求一时的快乐和便利，许多东西只使用一次就被扔掉了，根本不存在“循环”。

面对人类这种生活方式，地球开始发出悲鸣。如果今后仍要生活在这个星球上，我们必须有所改变。

从毁灭型人类向复苏型人类转变——我们是否应该将这句话作为今后生存下去的口号呢?

闪闪发光的濑户内海和漂浮在海面上的踏脚石似的无数小岛，可以说是日本的原始风景。为了让濑户内海的水变干净，从一九九八年前后开始，沿岸各城市共同合作，致力于此项活动。

在广岛县的小岛内海町，志愿者们制造了EM并分给各个家庭，岛上各家各户都将EM投入生活用水。于是，巨大的变化出现了。

海边潮水积存的低洼处，原先的污泥消失了，看到了更多鱼的影子。以前无法捕捉到的章鱼又回来了，蛤仔的捕获量也增多了。紫菜是当地的特产，自从在洗涤用水中使用了EM，排水口的淤渣不见了，长出了非常好吃的紫菜。

同样紧临濑户内海的广岛县安艺津町也开展了这项活动。政府率先免费发放EM，下大力气普及，效果马上就显现出来。水渠中的淤泥消失，鲻鱼又回来了，河口还出现了蛤仔。

安艺津町的特产是螃蟹。在螃蟹养殖场，为了提高海水质量，人们将混有“EM丸子”的土壤投入海中。

经过这些成功的尝试，濑户内海沿岸的企业、相关学者还有广大居民，联手在二〇〇二年举办了“濑户内海环境会议”。与之同步，大三岛的上浦町举办了“濑户内海环境研讨会”“濑户内海EM高级会议”，开展了轰轰烈烈的与环境净化相关的讨论活动。

生活在濑户内海沿岸的居民的种种举措，可以说是为恢复循环型、复苏型社会迈出了第一步。

所谓的治疗，对象并不仅仅局限于人类的身体，必须考虑到我们生存的大地、河川、海洋，甚至整个地球。

地球的治疗方法是什么呢？就是使她实现循环。

使资源得到循环，使洁净的水得到循环，使生命循环。这难道不是生活在这个美丽星球上的我们的使命吗？

河流的冒险，水的旅行

在上部作品《水知道答案》中曾经介绍过，水来自宇宙。这是艾奥瓦大学的路易斯·弗兰克教授发表的学说。

即使是现在，一分钟内仍有二十多个小行星落到地球上。它们实际上就是由重达百吨的水和稀薄冰块构成的。这些水和冰块到达大气层后会形成云，最后变为雨水降落到大地上，从而形成海洋。

大海是生命之源，所有的生命都从这里诞生。换句话说，我们都来自宇宙。

虽然出乎意料，但这也许就是人对宇宙抱有无限憧憬的原因。

大家可能都有这样的体会：在晴朗的晚上，躺在地上仰望星空，总会身不由己地产生一种非常亲切的感觉，并生起怀念。你的心会去往数万数亿年的时间长河旅行。

不知不觉中，你也许能感觉到正轻飘飘地飘荡在宇宙中，就好像已经变成一颗行星。

一九六一年，苏联的加加林少校第一次从宇宙中看到了地球（他当时说“地球是蓝色的”)；一九六九年，阿波罗十一号在月球登陆(“对一个人来说是一小步，可对人类来说，是伟大的一步。”)。此后，人类对宇宙的憧憬有了更强的现实感。

火星离地球比较近，而且人类有可能登陆。在不久的将来，人类也许能去火星旅行。NASA（美国国家航空航天局）已经开始制定飞往火星的载人飞船的具体目标，据说进展顺利。

但要想实现这个目标，必须克服几个障碍。

拯救人生命的还是水。人在宇宙旅行时会遇到诸多问题，比如在失重状态下，骨质和肌肉会退化；长期生活在狭小的宇宙飞船内，心理上会产生沉重压力；如何防止被宇宙辐射伤害更是性命攸关的问题。

在宇宙空间中，除了从宇宙深处发出的放射线，还有由太阳耀斑引起的放射线，后者是最可怕的。

观测太阳的动态很重要，但提前准备好能避难的房间更让人放心，而且最好是四周围着厚厚墙壁的坚固房间。

为了应对这些问题，NASA 有以下构想：

将储备的饮用水和含有大量水分的食物装入柱状的容器中，建造一个被这些柱子围绕的房间。如果发生太阳耀斑，宇航员可以在房间内避难，一直到耀斑消失。

这个办法将水和食物作为遮蔽物来利用。但宇宙飞船的重量必须尽量减轻，所以墙壁的厚度会受到一定的限制。

为了减轻重量，必须将装在宇宙飞船内的水控制在最小限度内。在地球上，一个人正常的日用水量据说是一百八十升。在宇宙中，即使按照日供应三升左右来计算，对飞船而言仍然非常重。

为此，人们正在研究在宇宙飞船内对水进行彻底再利用的方法，即将饮用水或洗漱用的水再利用，甚至连宇航员的汗和尿液也要实现再循环。

要想维系生命，水是必不可缺的。在危险的宇宙空间中活动的时候，如何利用水就成了最关键的问题。

二〇〇一年五月，根据NASA的火星探测器“奥德赛”采集的资料，我们清楚地知道火星地表之下存在大量的冰。这表明火星上曾经有过水。

如果能很好地利用这些水，火星也许会成为和地球一样的可以让人类居住的蓝色星球。为此，相关调查和计划已经开始。

从一九九六年开始，NASA在位于北极圈的德文岛进行了模拟移居火星的实验。德文岛气温很低，地面全是岩石，与火星的环境非常相似。研究人员在那里进行了火星生物调查、居住、通信等方面的实验。

开始这样的实验，是因为地球环境越发恶化，产生了如地球变暖、人口增加、粮食问题、环境污染、水源不足等困难。在不久的将来，地球会不会成为人类无法居住的星球呢？

人类要繁衍生存下去，除了移居到火星等其他行星上，难道就没有别的选择了吗?

现在摆在我们面前的问题非常严峻。

现在，你从想象中的宇宙旅行归来，回到了美丽的地球。

你站在幽深的树林深处，穿过树木空隙射下的太阳光使你眯起眼睛。层层的落叶铺在潮湿柔软的土地上，倒在一旁的树干被苔藓染成了鲜亮的绿色，四周全是灌木和凤尾草。你将清凉的空气使劲吸入肺中，是森林的味道……

那里充满了生命的声音：鸟叫，拍打羽毛，风吹树叶……

我们在这个星球上出生、成长，所以情不自禁地深爱这个星球。

让我们从爱护这个星球孕育的美丽大自然开始，一起考虑如何才能守护住这绝佳的宝物。

从长满苔藓的岩石缝隙中渗透出来的水慢慢涌出地面，形成了小小的泉眼。用双手捧起泉水，含在口中，你会感到水中存储了许多地球的能量。这种水在地下有漫长的经历。

地球怀中这些神奇的水，是从哪里来的呢?

暂时让我们的思绪驰骋在这些水经历过的世界中吧!

来自宇宙的水以冰块的形式从空中落下，滋润着山和树木。最初的那一滴，就是水婴儿。

从此以后，水在地球上开始了它波澜壮阔的一生。

落下的雨水后来去哪里了呢?

实际上，大部分水落到了树木的枝叶上，直接蒸发到大气中。一部分渗入地下的水被植物的根吸收，在体内输送后又以水蒸气的形式被树叶释放出去。所以，降落到地面的水实际上有三分之二又回到了大气中。

据说在常绿树林里，大雨过后，每公顷树林约有十吨的水蒸气被排到空中。

就这样，再次回到空中的水，有的成为云朵高高地飞舞在空中，有的成为雾气徘徊在林间。

变为雾气的水会进一步变换形态。当空气变冷，气温低至零度以下时，雾会变成霜，在树叶和花朵上勾画出白色的边缘。如果不够冷，雾会在接近地面处冷却，成为露水附着在花草上。

没有比在鲜艳的花朵和绿叶上滚动的露珠更美丽的了。晶莹透亮的结晶般的露珠，从花朵那里得到了许多关爱，是滚动在花瓣上的精灵。绿叶生机盎然，充满活力，上面的露珠肯定能与植物产生共鸣。

一滴露珠从枝头刚刚露出的新芽上滴落下来，在树叶上轻轻摇晃，滚动几下，落到青蛙的脊背上。如果你在清晨去森林，会发现许多受到大自然关爱的小精灵。

这是自然让我们看到的爱的表现。水爱青蛙、爱绿叶、爱新芽。

这样的一滴水同样被它们关爱着。

正如刚刚出生的婴儿在母亲的万分关爱下长大，水婴儿也在成长过程中得到了大自然无比的关爱。

以雨水或露珠的形式渗入大地的水，又去哪里了？

一部分水被植物根部吸收后，再次释放到空中。剩余的水渗入地下，开始了让我们难以置信的长途旅行。

水的通道是地下纵横交错的无数秘密隧道。虽然生活在地上的我们不太清楚，但是地下确实有许多洞，比如生活在地下的许多生物挖出的细小洞穴。

蚯蚓、蜈蚣、鹿角虫、独角仙等的幼虫，肉眼无法看到的无数微生物，还有鼹鼠，甚至包括兔子，各种生物在地下静静地生活。由于这些生物的存在，土地非常松软，洞穴纵横交错。

除了这些洞穴，还有沙石之间的缝隙、土中原有的冰块融化后形成的空洞、树根腐烂后形成的空间、土地干燥裂开的缝隙以及岩石上的裂缝等。水通过各种通道在地球深处继续着它的旅行。

地下由沙、砾土、黏土，以及各种性质的岩石累积而成。水顽强地渗透到层次复杂的地下，它流动的速度因土的性质而异，但一般非常缓慢，一年前进三十厘米的情况也不罕见。

当水到达地壳深处，遇到不透水的岩盘和黏土时，会形成水流，就这样开始流动。根据地形，水和在地上一样，在地下形成河流，有时甚至会形成湖泊。

渗入地下之前还是婴儿的水，在漫长的地下生活中经历了各种事情，带着许多信息。这一阶段，水的性质取决于它经过的岩盘，就像人的性格是在幼年时期形成的一样。

流经石灰岩的水含有许多钙和镁，这些矿物成分较高的水被称为“硬水”。另外，如果经过的路是由黏土或花岗岩构成，则水中矿物质成分含量较低，是“软水”。

一段时间后，水对地球已有了大致的了解，为了开始地上的工作而继续流动。前方看到了明亮的光线，那是期盼许久的外面的世界。

从长满苔藓的岩石缝隙间流出的清水，小小的清泉——你双手捧起的水就是这样，早在你出生前，就一直在地下持续着漫长的旅行。

泉水形成了细小的水流。让我们接着追寻这水流的形成过程吧。

后来，渗入地下的雨水和流淌在地表的水汇成一股水流。一段时间后，水流开始侵蚀地面，形成了坚定的水路。河流诞生了。

水流的水势渐渐增强，开始侵蚀土地和岩石，逐渐具备了一定的宽度和深度。水已经成长为精悍强壮的青年。

势头更强的河流削去了山间的岩石，制造了溪谷。此时，河流开始凸显个性。有的河流席卷着褐色的泥土，显现出混浊的雄姿。有的虽然水流清澈，但掀起的气势磅礴的水花却能削掉坚硬的岩石。

水在流动中蕴含着惊人的力量。

当然，仅仅靠水还不能侵蚀坚硬的岩石和土地，这项工作主要是由夹杂在水流中的岩石和沙土完成的。

水流带来的小石块削掉了泥土，卷走了更大的石块，击碎更大的岩石，水势变得越来越凶猛。

在流动的过程中，河水目睹了各种场面。

在上游，可能会遇到成群的大马哈鱼正在逆流而上，鹿、熊、花鼠等也许会在河流中饮水嬉闹，暴风雨冲来的树木也许会改变河水的流向。

不久，河流到了平原地带。

河流曲曲折折地在大地上悠悠流动，如果从高空眺望，看起来就像一条巨蛇在扭动。

它的姿态随时会变化。被冲走的沙土在宽广的河流中堆积起来，形成了河中沙洲。它还从岸上削掉泥沙，或者储存泥土，一点点改变着流动路线。

假设有可以用几秒时间就看到数年动向的高速摄像机，用它拍摄河水的流动，或许影像之中会出现蜿蜒扭动的蛇的身影。

河流的这种移动通常极其缓慢，但有的大河，如密西西比河的河道，有时一年内会移动二十米。

河流在改变流动路线后，水运载的泥沙会堆积下来，这就是所谓的自然堤坝。

如果发生洪水，大水会冲垮这些堤坝，泥沙被运到周围的平地上层层堆积。这种由洪水泛滥形成的平原自古以来会被开垦为农田。正因为有洪水，人类才能获得丰富的农作物。

众所周知，尼罗河河谷那片肥沃的土地孕育了埃及文明。洪水虽然是自然灾害，但同时也是上天赐予我们的恩惠，让我们得到最肥沃的土地。

河流在漫长的时间长河中成长着，不断变换姿态。河水经常流动，所以具有强大的生命力。

来到城镇中，河流会遇到许多人：在桥上散步的老人、骑着自行车的少女、并肩眺望河水的恋人，在河岸的公园里踢足球的孩子和练习投球的父子……在柔和的日光中，水安详柔美地注视着人们的日常生活。

河流成了老人。随着河流越变越宽，水势渐渐变得缓慢起来，逐渐靠近大海。

河流此前搬运的泥沙开始一点点沉积在河底。泥沙的沉淀使河流更加平坦，水流更加迟缓。

在注入大海的那一瞬间，河流停止了流动。

这就形成了三角洲地带。恒河、密西西比河、亚马孙河等巨大的河流注入大海的地带都被泥沙掩埋。河流像扫帚头，或像大网一样分散开来，形成独特的地形。

泥沙累积，随着岁月的流逝，海岸的地形也在发生变化。三角洲地带同样是肥沃的土地。世界上最富饶的农田大多位于河流造就的三角洲地带。

水来到这里，留给人类最丰富的礼物，然后流入大海。

但是，水的生命并没有因此结束。大海中栖息着各种生物，等候着水的是和这些生物共同生息。水在这里开始第二次生命。

水轮回转生，在地面上写下无数的故事，原原本本地展现在我们面前。水在地球上循环着，走过超乎想象的漫长岁月，来往于山巅和海底，承载并连接着生命。

通过追述水的一生，我们能看到生活在地球上的所有生命的运动。水的流动，同时也是生命的流动。

人类的历史和河流的历史是同步的。

印度河、流经美索不达米亚平原的幼发拉底河和底格里斯河、尼罗河、黄河……所有的文明都发源于有水的地方，人类为了得到水四处迁徙。

后来，在河流两岸，城市建造起来。人们的往来增多了，马车来来往往，汽车塞满道路。但即使如此，河流仍然温柔地守护着人类的生活。

人们在河边漫步，和朋友聊天，边眺望喧闹的水边思考人生。

但是，人类一旦获得了高新技术，就开始尝试着改变河水的流动。他们相信这样做可以带来巨大的利益，而且从表面看起来似乎是成功了。

一九七一年，尼罗河上建起长三千六百米、高一百一十米的阿斯旺大水坝。为了建造这个水坝，巨大的阿布辛贝神庙被移到他处，约有十万人不得不离开早已住惯的地方。

水坝竣工颇令人欢欣鼓舞。人类解决了尼罗河泛滥这个历史悠久的大课题，可以用自己的手控制河水。阿斯旺水电站发的电可以供应埃及四分之一的用电量。

但是时间让我们渐渐明白水坝到底带来了什么。

再也不会有新的肥沃泥土来到尼罗河河谷了，农田因此需要灌溉，需要化学肥料。灌溉大大提高了土壤中盐的浓度，使土壤退化。此外，水由于不能流动而长期停滞，导致害虫蔓延，严重危害了居民的生活。不仅如此，三角洲地带的地面开始下沉。

也许洪水对人来说是严重的灾害，但是，自然的循环具有完美的机能，许多生物在期盼着数年一次的洪水，那是河流给予它们的巨大恩惠。

水坝将大自然花费了数万年才形成的生态系统，破坏得体无完肤。

同样的事情也发生在蓄水池中。

蓄水池中的鱼接连不断地遭受汞污染。蓄水池是将水引到山间形成的，这就截断了水的流动，也成了灾难的开始。

在水中死掉的植物成了细菌的安乐窝，不停繁殖的细菌吸收了土中含有的汞化合物，演变成毒性增加百倍的含有甲基汞的物质。这些细菌随后进入鱼的体内。

加拿大的詹姆斯湾到皮斯河区域，居住着北美印第安人中的克里人。随着发电站的建造，他们以往捕鱼的湖泊变成了蓄水池。后来，从他们的毛发中检测出了高浓度的汞。在加拿大的其他地区，也发现了类似的情况。

这些都是由于人为地改变了自然界中水的流动。

人类截断的不仅仅是水的流动，也是生物链连成的微妙的生态圈和生态系统。

含 DDT（有机氯类杀虫剂）的杀虫剂污染了水源，将鱼类和鸟类赶上灭亡的绝路。对此，蕾切尔·卡逊在她的著作《寂静的春天》

中鸣响了警钟。她认为，肌氨酸、氧桥氯甲桥萘、氯甲桥萘等被称为氯化碳化氢的物质，简直像恶魔的咒语。

一九五五年，在伊利诺伊州的谢尔顿，人们为了驱除金龟子，喷洒了剧毒的氧桥氯甲桥萘。卡逊在书中描绘了当时的情景：

> 药物渗入到土壤中，起初是虫类爬出地面死掉了。随后，知更鸟、野鸡、白头翁等也相继死去，因为它们吃了虫子，或者在混有毒药的水中洗过澡。
>
> 接着，松鼠和兔子的尸体遍地都是。随后，农家饲养的猫有百分之九十死了。灾害甚至波及了农户家中饲养的羊。

但是，政府却在此后的几年一直喷洒毒性更强的药物。

蕾切尔·卡逊还提出了另外一些严重的问题，如化学物质对河流中大马哈鱼和鳟鱼的恶劣影响、化学药品导致癌症患者增多等。

当然，这些观点招致了农药行业的驳斥。他们将卡逊的说法贬得一文不值，认定她是歇斯底里的女人。但在电视上进行反驳时，卡逊的理性和品位给观众留下了深刻的印象。不久，政府开始承认她的主张正确。

她的慧眼和才智闪烁着跨越时代的光辉，打动了我们的心。生活在现代的每个人都应该读读这本书。

卡逊发出的警告并不是单纯针对剧毒带来的污染，而是警告人们注意污染导致的负面连锁反应和崩溃式的循环。

用化学物质驱除害虫和杂草的时候，正如我们现在已经看到的，许多其他的生物以及为土壤提供养分的微生物也遭到了灭顶之灾。

这时土地已经死亡。要想在这样的土地上持续种植农作物，只能继续使用化学物质。

生态圈一旦被破坏，便很难再建立起来。

卡逊发出警告已经有四十多年。从那以后，情况有所好转吗？DDT、氧桥氯甲桥萘等物质在发达国家已经被禁止使用，人们也已经不再使用。但可怕的是，这些东西却被销往没有明令禁止的国家。

人类对大自然经过漫长岁月形成的生命圈毫不理会，仅仅为了追求利益和便利，就一再破坏自然循环。这导致了向荒废和破坏演变的负面循环。

我们是不是已步入需要暂时停止前进的车轮，进行思考的时代？

人类，就是流动的水。我们必须回到这个起点进行思考。

此前，我们看到了大自然与水和谐地融为一体向前流动。

自然界中的花草、树木、虫鸟、小生物……它们都热爱水。流动的水也热爱自然界的生物们。

我们人类难道不应该回到这个生态圈中吗？

当我们真心热爱自然的时候，自然也会热爱我们。

当我们真心地爱和感激地球的时候，地球也会响应我们。

那时候，所有的生命和水都会充满爱。

波动——不可思议的世界

很久很久以前，有一座山，山顶上住着一位魔女……

肤色微黑、留着白色长须的土著居民长老，开始给我讲述他的故事。

长老的年龄在八十四岁到八十六岁之间，据说确切的年龄甚至连他本人和家人都不清楚。刻在脸上的皱纹向我们讲述着他以往的经历和高深的智慧。

二〇〇二年八月，因为有演讲，我首次去了澳大利亚。在那里约定要听听当地土著居民长老埃利克的谈话。

他在五位家人的陪同下出现在约定的饭店。我专门带了水结晶摄影集，作为礼物送给他。他拿在手上，颇感兴趣地翻看着，随后向我讲述了当地一直流传的故事。

那是一个品性恶劣的魔女。当时有一条河，流经现在的新南威尔士州南部。在河的最上游一带，有座玛瓮萄里基山。她就住在山顶上。

有一天她俯视下界时，发现人们在清澈的河水两岸幸福地生活着，她的心头突然燃起强烈的忌妒之火。

她施展了魔法。把自己的忌妒，还有希望世上只有自己一人幸福的贪婪欲望复制到了河水中。为了不让水再流到人类那里，她截断了河流。

清澈干净的水不再流动了，河中开始流入各种污水。住在河水两岸的人，不论大人还是孩子，都感染上了疾病。不仅如此，偷盗、争吵、争斗等事件也增多了。这是魔女复制在水中的恶毒念头所致。

将想法复制在水中——这不正是波动的原理吗？真没想到，数千年前就开始流传的故事中竟然会出现关于波动的情节。

也许古代的人更能通过实际体验来认知这样的事情。埃利克先生继续给我讲道：

这样的状况持续了好几年。后来有一天，一个会使用魔法的年轻人带着狗散步，狗为了追逐突然出现的袋鼠跑得无影无踪。过了很长时间，不知为什么，狗浑身湿淋淋地回来了。从狗身上滴落下的水非常干净，和污浊不堪的河水截然不同。

会魔法的年轻人非常想知道哪儿有这么干净的水，在狗的带领下，他到了山顶的一间小屋。魔女就住在这个小屋中，干净的河水就是被这小屋截断的。

年轻人施展魔法，把魔女变成了水，让她流入河中。眨眼间，魔女就被河水吞没，一直冲到下游。下游形成了几个水潭，据说是变为水的魔女为了不被水冲走，拼命挣扎着想站住而留下的痕迹。

在注入大海的河口，魔女总算紧紧抱住了一块大岩石。年轻的魔法师对不停求救的魔女说道：

“如果你能痛改前非，我可以救你。不过你能跟我约定，今后一直待在这里为人们服务吗？”

魔女答应了，变成了长在岩石上的大树。人们恢复了以往的幸福生活。

据说化为大树的魔女从此以后成了守护神，当村民靠近危险的河口时，她就会非常亲切地摇动树枝，通知大家。

真是不可思议的故事。在离日本这么遥远的国土上，竟然能听到这种关于水的故事，太不可思议了。正如世界上的各种传说和神话一样，这个在土著居民间流传的故事同样包含着宇宙的真理和人类应该如何生存的训诫。

首先，水必须流动。如果水流被截断，河水就会死去。

其次，忌妒和私欲会使一切陷入混乱，这也许是针对现代人而讲的一句话。

再次，水能够读懂感情，并将它的波动传到世界各地。水会承载怎样的信息，取决于我们每一个人。

对于古代的人来说，幻想、科学以及哲学也许是一体的，他们用传说向孩子传达着世上的真理。

这也许是因为他们知道在看到的世界背后，还存在肉眼无法看到的法则。政治在古代与祭祀有关。那时，优秀的医生同时也是进行祈祷和治疗的祭司。

水结晶也一样。想被更多的人认知，得到更多的支持，也许要尽量保持科学的态度。确实存在单靠目前的科学无法解释的世界，结晶照片就是水向我们展示的宏大的幻想世界，从中应该能学到很多东西。幻想，有时恰恰将真理清晰地展现给了我们。

之后我将展示结晶照片的第二部分。从几个河流的源头一直走到下游，拍摄了它们的结晶。另外，让水看自然风景的照片和花的照片时，水会以何种姿态展现在我们面前呢？从这些结晶中，大家或许能看到栖息在地球上的各种生命。

水冻结后显现的结晶，没有哪两个是完全相同的，正如绝对没有两片完全相同的雪花一样。

我在演讲中用幻灯片播放水结晶照片并进行说明时，经常会有人问这样的问题："既然没有两个完全相同的结晶，你为什么选择这张结晶照片呢？"

这个疑问确实合情合理。如果一定要追根究底，追求科学的再现性（不过，首先要假定这个世界上存在严格意义上的再现性），那大家说选择这样一张照片毫无根据，也是没有办法的事。

但是，我不可能把每次观测到的形状各异的结晶照片都展示给大家，也不认为这样做有多大的意义。看到动物图鉴上登载的狗的照片时，也许你会问："所有的狗长得都不一样，为什么要选择这样一张照片呢？"但这样问是毫无意义的。

选出其中某一张结晶照片，是因为我认为这张照片最清楚地代表了在某种状态下产生的结晶。下面我就对选择的过程进行简单的说明。

拍摄水结晶，首先要用吸水管将水滴到五十个玻璃器皿中，然后放在零下二十五摄氏度的冷冻室中冷冻，再通过显微镜拍摄结晶。

当然，五十个玻璃器皿中不可能出现相同的结晶。

将用这种方式拍摄的结晶照片按照形状进行分类，共有八类："美结晶""美倾斜""六角形""放射状""格子状""不定形""塌陷""无法成形"。

进行这样的分类，能发现各种水呈现出的结晶具有怎样的倾向。

以注入谏早湾的本明河的水结晶为例。"注入谏早湾之前"的水结晶分类情况如何呢？

美结晶、美倾斜、六角形———0

放射状———2

格子状———6

不定形———29

塌 陷———2

无法成形———11

通过这个结果，我们可以发现，水不是无法成形就是无法连接在一起，根本不能形成美丽的结晶。"无法成形"的结晶竟然高达十一个。

接下来，要在其中选择一张最能表现这种水的性质的照片。这次是在"不定形"一类中选出的。

前面曾介绍过"河流源头"的结晶，它的形状非常整齐美丽。

对这种结晶是如何分类的呢?

美结晶———2

美倾斜———4

六角形———0

放射状———4

格子状———8

不定形———29

塌 陷———3

无法成形———0

这次选出的具有代表性的一张照片是美结晶。当然，从统计数字来看，五十张照片中只有两张是美结晶。但出现如此美丽的结晶，是因为先出现了许多美倾斜或简单的六角形（虽然这次是零），以及放射状、板状等不定形和格子状，最终出现了美结晶。打个比方，就是有许多预备军。

所以，可以认为这种水在整体上处于一种容易形成整齐结晶的状态。如果选择有代表性的结晶，美结晶是比较适合的。

虽然很难严密地对水结晶的规律进行说明，但也绝非单纯地从数量最多的结晶中选择，而是从最能表现这种水的性质的结晶中选择一个。

当然，在这种情况下，进行选择的人会左右选择结果。在选择若干个结晶照片的时候，最好始终由一个人来决定。本书中介绍的结晶照片都是我选出的。

经过这样的过程，结晶照片得以发表，展现在大家面前。当然，现在还不能将其称为科学。波动的世界非常混沌，多数情况下不能用数字清楚地区分黑白。

如果把真理比喻成覆盖在这个世界上的奇大无比的布，我们能做的仅仅是抓住这块大布的一角，将其用大家都能看到的形式表现出来，翻译成任何人都能理解的语言。

关于水结晶的照片，以下是经常被问到的另外一个问题。

仅仅让水看了照片或文字，为什么水会显现出完全不同的结晶？水的性质为什么会有如此大的变化？如果从常识考虑，这确实是难以理解的问题。

如果让水看“谢谢”“混蛋”这样的词，水能很好地把握词的意思，并形成结晶。

在这种情况下，假设对水说话，根据说话的声音和语调的不同，其含义会发生很大的变化。

同样是“混蛋”，骂人的时候和亲切地开玩笑的时候，包含的意义会完全不同。

如果让水看文字，就不会有这样的担心。可以说，语言具有的纯粹能量很容易以结晶的形式表现出来。

这些事情，是不是越想越不明白?

为什么通过照片或语言，信息就能够超越时空传递出去呢?这是因为意识就是波动，波动能在瞬间传递到任何地方。

照片会承载信息，是因为它与意识相关联。看到风景和花草的照片会觉得漂亮，看到朋友的照片会感到亲切，这是因为照片打动了意识。证明一个人身份的照片只有被确定是本人时才有效。语言也是一样。使用了数千年的语言中，包含着语言代表的那个世界的信息。

有一次，美国耶鲁大学的心理学教授做了一个实验。从犹太语中选择几个单词，然后胡乱造出了同等数量的毫无意义的字母组合。将两类词混在一起，拿给完全不懂犹太语的学生看，让学生推测意思。当然，没有事先告诉学生其中混杂着“假货”。

结果，在学生猜出意思的词中，真正的词要远远多于伪造的词。

这是为了证实上部作品中介绍过的罗伯特·谢尔德雷克博士的理论而进行的实验。博士认为，在众人长期使用的语言中，会产生能理解语言含义的“形象之场”。所以，即使是完全不了解这种语言的人，也有可能猜出其含义。

在这种情况下，所谓“形象之场”既不是眼睛能够看到的东西，也不是能量，可以说是眼睛无法看到的另外一个世界。

由于形成了“形象之场”，发生了两次的事情很容易发生第三次。另外，历史会重复相同的过程，在地球的某个地方已经被使用的语言，比不曾被使用的语言更容易掌握。这种事情简直无法用现代科学来解释。

那么，如果用波动的原理来考虑，可以怎样解释？考虑这个问题时，我参考了前面介绍过的有关波动的三个关键词。

首先，所谓的波动就是“振动”。任何人都具有波动，可以认为从一个人身上提取的血液也会发出振动，通过观察振动可以判断此人的健康状况。

其次，波动会“共鸣”。可以这样来解释，即使是两年前提取的血液，也可能与本人的波动产生共鸣，相应地改变性质。

再次，波动具有“相似象”的性质。也就是说，任何波动都是既有微观波动，也有宏观波动，而且微观波动和宏观波动可以产生共鸣。

被保存的血液就是本体的微观存在。所以，血液的成分随着本体的变化发生变化也是理所当然的事情。

如果通过波动的“镜头”眺望世界，可以看到与以往不同的景色，以前无法解开的谜团也能找到解决的头绪，或许通过波动，我们更容易接近真理。

我涉足这个不可思议的浩瀚世界的契机，要追溯到十五年前。

当时，我成立了自己的公司，从美国进口可以止痛的低周波治疗仪器。协助我们工作的是生物化学博士理·劳伦森。

劳伦森博士的夫人体弱多病，他为妻子几乎寻遍了治疗方法，但是没有找到最合适的，最后他找到了水。

他和电气技术人员以及物理学家组成小组，开始了制造“好水”的研究。他假定水可以复制信息，并以此作为研究的出发点。

后来我听劳伦森博士说，他们已经研制出了具有特殊功效的水。

这水真是太神奇了，我对此萌发了浓厚的兴趣。当时在日本，有利于身体健康的特制水已成为大家关注的对象。所以我想，这种神奇的水与在日本炒得沸沸扬扬的水是否一样呢？

为了能马上把这项技术介绍到日本，我与他们签了协议并邀请他们三人来日本，在东京、名古屋、大阪三个城市举办了专题讨论会。

然而，尽管入场券是免费的，讨论会却都以惨淡的结果告终。许多客人光临了讨论会，但是内容太难理解了。我自己对这些理论也不太理解，翻译人员也非常头痛，中途不断有人离席，更有人不停地打瞌睡。

我开始思索：为什么会出现这样的结果？

水是人类不可缺少的东西，但是我们太不了解水了。对此，我百思不得其解。

直到有一次，听人说了这样一番话：

> 所谓的科学，就是首先有一个假说，然后出现证实假说的测定仪器和技术，最后证明假说。

听了这番话，我不禁恍然大悟。

针对科学药品等的测定仪器或许有，但确实找不到能测定水本身性质的仪器。

我马上和劳伦森博士取得联系，请他帮忙寻找这样的仪器。最后，我见到了可以测定并复制波动的仪器。

在我把能够测定并复制波动的仪器带到日本，介绍给大家后，我接触到的人越来越多，目前已经高达一万五千人。

我将这些经历记录下来，出版成书。自一九九二年以来，我写了十多册和波动有关的书。仿制这个仪器的波动测定仪也大量上市，整个日本掀起了“波动”热潮。

如果包括知道“波动”这个词的人在内，最近对波动感兴趣的人大约已有数百万。

许多人开始一同关心那个眼睛看不见的世界，并开始学习。我们感觉到一种打开进步之门面向新世纪的能量。

只要知道波动，就可以知道更多——这让我们对未来产生了无限的期待和希望。甚至可以这样想，就像《一千零一夜》中出现的魔法一样，只要高喊某句话，整个世界就都在我们手中，任我们摆布。但同时也感觉到：“对波动了解越多，越发现什么都不明白了。”

也许你会觉得这和前面所说互相矛盾，但这却是事实。

正如前面所述，水结晶中没有任何两个是完全相同的。能够展示给大家的结晶仅仅是拍摄的许多结晶中的一个代表，一个象征。

不仅如此，拍摄结晶照片时的环境、时机、拍摄人的性格，甚至包括拍摄人的想法，都能被水读懂并反映到结晶中。

这与量子力学的“不确定性原理”相似。不确定性原理是由德国物理学家沃纳·海森堡提出的，据说这个理论使量子力学基本得以完善。

所谓的不确定性原理，是指电子在被测定时，每次都会呈现出不同的动态，最终无法准确地测定。如果进一步解释，是指由于观测本身会赋予电子新的动态，所以根本无法观测。

为什么会这样呢？因为观测的时候必须要有光线，加上光的量子后，电子会被弹飞，无法预测去了哪里。

不确定性原理告诉我们，发生在这个世上的事情，我们只能知道其中的一部分。这对科学家来说也许是沉重的打击。

水也一样。如果更换了观测人，水会完全改变姿态。观测人的内心是美丽（类似“谢谢”）还是丑陋（类似“混蛋”），会使水形成完全不同的结晶。

特别是在拍摄结晶时，必须抓住每时每刻都在发生变化的形状。哪怕是按快门的时机不同，都会导致形状不同的结晶出现。

不过，只要略加考虑就会发现，我们身处的这个世界，所有事情都是不确定的。

太阳每天清晨会升起，傍晚会落山，我们认为这是理所当然的事情。但如果从漫长的宇宙历史来看，这仅仅是非常短暂的反复，并不能永远地再现。

经过漫长的五十亿年岁月，太阳会逐渐膨胀，最后将地球吞没。现在我们看到的太阳，正处在朝着那个阶段发展的过程中。五十亿年对于宇宙来说，绝对称不上漫长。

大约从七十年前开始，就有预见波动并从事这方面研究的科学家。他是耶鲁大学的解剖学教授哈罗德·萨克斯顿·波尔博士。

他想依据“生命场”（Life Field）这一新的概念，解开生命的奥秘。

人体内的细胞每隔半年就会全部更替。尽管如此，为什么还会再生出同一个人呢？博士认为，也许存在眼睛无法看见的模子，就像制作果冻时用的一样，所以会再生出相同的人。

这就是生命场。博士认为生命场是电力场，所以能够测定出来。于是，他运用电压计和电极独自开发了测定器。

人的生命场会根据身体状况的差异或心情的不同发生变化。被检测的人如果“欢天喜地”，他的电压就高；与之相对，“情绪低落”的人电压就低。

我认为这个理论预测了现在用波动测定仪进行的测试活动。在使用波动测定仪时，先输入若干个编码，波动测定仪就会确认这些编码与哪个波动对应。身体状况不好可能与情绪有关，按照编码将情绪分类，就可使用波动测定仪来进行测定了。

博士在他所著的《生命场的科学》中写道，将来甚至连人的感情都可以用毫亨利（电感单位）这样的数值来表示。

涉足波动世界的人们，好像都注意到了一件事情——内心会对所有的事情发挥作用，产生影响。

正如以前曾无数次看到的，不论是你的身体，还是将要发生的事件，甚至包括你居住的世界，都是由你的内心制造出来的。所有的力量都在你那里。

这个世界也许确实混沌，我们甚至无法知道下一分钟会发生什么事。但是，就连这种混沌状态也是由你制造出来的。混沌之中包含着无限的能量。因为在天地尚未分开的时候，宇宙形成之前的无序状态就可以被称为混沌……

当你感到迷茫犹豫、失去力量的时候，就应该找回原来的自己，找回能在此时此地坚强生存的自己。

那时，你会发现自己像出淤泥而不染的莲花一样，散发着坚强美丽的光彩。

熊野的河流，让我们顺流而下吧

据说位于本州最南端，伸入大海的纪伊半岛上的熊野的崇山的原始森林中，自古以来就居住着神灵。我们追寻着流经原始森林的河流，拍摄了水结晶。

登山道旁的山白竹上的露珠

从山麓涌出的水

注入河流的水

海拔一千八百米的山上，登山道旁的山白竹上沾着水珠。我们的旅行就是从这水珠开始的。不久，这水珠以泉水的形式出现在地面上，最后注入大河。

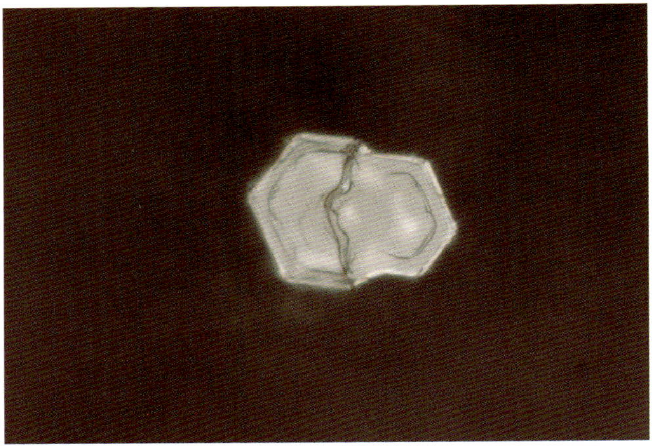

水库的水

经过水库一公里后的水

和干流汇合后的水

水库中的水形成的结晶失去了气势。但是经过水库一公里后的水形成的结晶，又重新恢复了原有的美丽模样。后来与干流汇合。

流动的河水和截断的水

在本明河注入有明海的谏早湾，政府不顾大家的反对把水截断，启动了排水开垦工程。我从本明河的源头到开垦地区都采了水样。

河流源头的水

河流上游的水

在源头处提取的水的结晶看起来很透明。上游的水向我们展现的结晶轮廓非常清晰，甚至让人感动。

注入湾内之前的水

流淌在街道边的河水

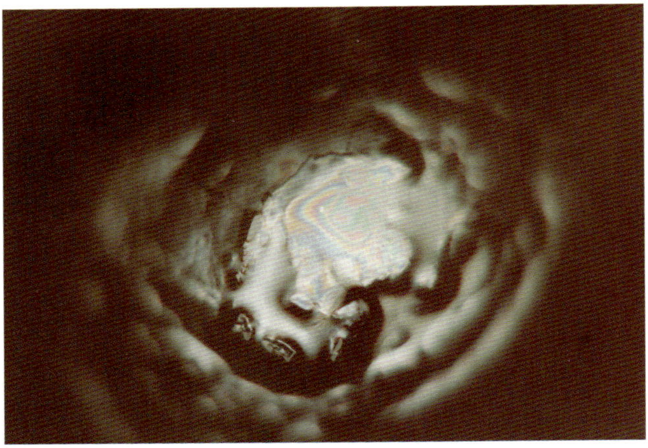

计划排水开垦的地区建造的水池中的水

越往下游走，水越浑浊，且无法形成结晶。在为排水开垦而关闭水闸的地区，水池中的水惨不忍睹，因为水流被截断，水已经死了。

河流展现给我们的三种容颜

这是可以眺望富士山的土地上流淌的富士河。我们拍摄了富士河上游、中游、下游的水结晶。

上游（女取泉水）的水

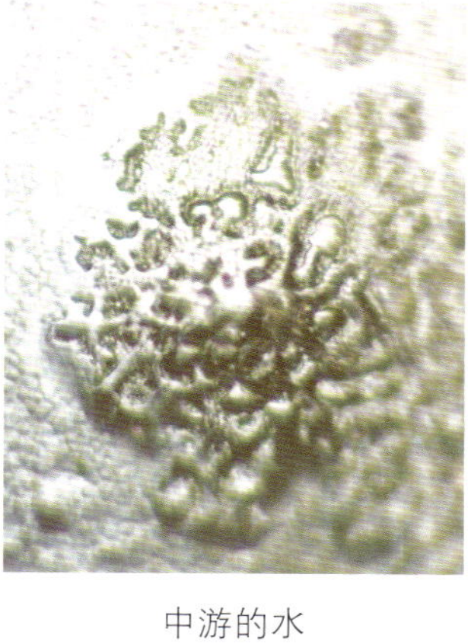

中游的水

下游的水

上游泉水形成的结晶，宛如镶嵌了珍珠般美丽异常。中游也许是地处住宅区的原因，水根本无法形成结晶。到了下游，水得到了一定程度的净化，又恢复了结晶状。

不同地区的水

泉水、瀑布、湖泊、河流……天然水和都市水的不同之处非常有意思。

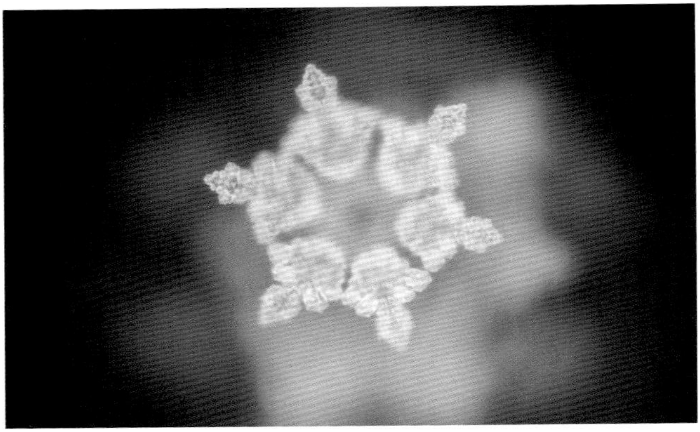

山梨·吐龙的瀑布

东北·十和田湖

吐龙瀑布位于临近富士河的地方。它的结晶形状工整，美丽灿烂。东北的十和田湖虽然有些污染，但结晶形状也如此工整。

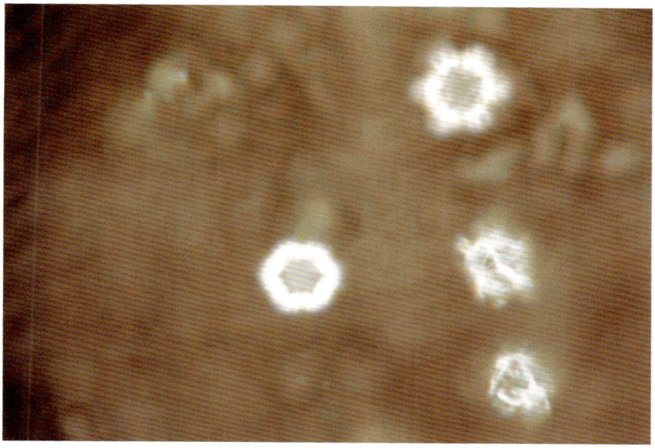

新潟 · 萤火虫故乡的泉水

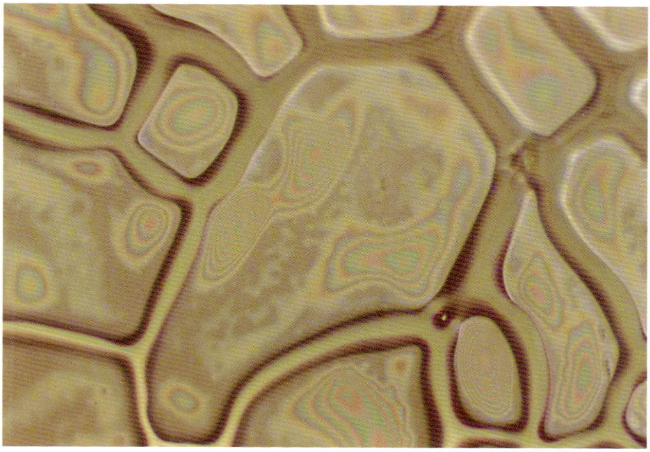

东京 · 隅田川

这是萤火虫的故乡，正如名号一样，在结晶中可以看到萤火虫似的小亮光。
隅田川是东京代表性的河流，据说河水比以前干净了许多。

让水看了大自然的照片

让水看了花和风景的照片后，拍摄了结晶照片。

看了樱花照片的水结晶

看了莲花照片的水结晶

每个结晶都体现出花的特点。看了樱花照片的水结晶像工整的美丽花瓣。看了莲花照片的水结晶，形状看起来满怀喜悦，与看了佛教文字的结晶相似。

绿葱葱的青草中出现了一只狐狸。水看了这张照片后，形成了清晰鲜明的结晶，但看起来略显寂寞。

月上梢头，该是夜幕刚刚落下的时候。看了这张照片后，结晶周围似乎形成了树的形状，非常独特。

满眼鲜艳的红叶。看了这张照片后，结晶上好像粘了密密麻麻的树叶，是否感觉像凋谢前的树叶呢？

照片上是屋久岛的绳文杉。形成的结晶占据了整个画面，洋溢着生机勃勃的气氛。

世界宗教展现给我们的形态

让水看世界五大宗教的名字，最终展现在我们面前的是这样的结晶。

佛教

看了“佛教”字样后，水结晶正中间形成了空白，形状左右对称，特别漂亮。

基督教

结晶四周的每个装饰是不是都像圣诞树？细致华丽的造型，有些像中世纪教堂的精美装饰。

犹太教

据说犹太教戒律森严，但形成的结晶感觉奔放舒展。结晶重叠在一起的样子非常独特。

伊斯兰教

这个结晶看起来也颇有活力，整体感觉是规律而平和，同样很美丽。

印度教

形成了堪称几何学中美丽典范的六角形，宛如在看万花筒。无论是色泽还是形状，都无可挑剔。

治疗的力量，是生命的力量

尝试着对净化环境的EM、可以治疗身心的花精及香精油等进行拍照，它们会使水有何种改变呢?

稀释了 EM 的水

EM 中汇集了对环境和健康有利的微生物。将它用水稀释后拍摄的结晶，虽然有点粗糙，但感觉充满了活力。

荆豆花花精

苏格兰报春花花精

樱花花精

花精复制了花的波动。每个结晶都像盛开的鲜花一样美丽，纹理细腻，表明它具有功效。

紫罗兰花精

缬草花精

接骨木花精

都形成了让人着迷的美丽结晶。看看这些结晶，让人感觉身心得到了治疗。

把香精油的波动复制到水中

春黄菊

用波动复制仪把香精复制到水中，结果出现了与原来的花非常相像的结晶。

茴香

茴香香精油的结晶绝妙地表现了花的形状，感觉像在水中盛开的鲜花。

赞美的力量改变世界

如果对水和世界奉上赞美的语言，前后的结晶会发生戏剧性的变化。在此收集了这样的实例。

接受爱的气息的水

一起给水送上爱的气息，结果普通的自来水呈现出如此美丽的结晶。人们的心意能够瞬间传出去。

梵语·赞美的语言

结晶的样子宛如曼陀罗一般整齐地排列着，让人有种神圣感，是非常了不起的结晶。

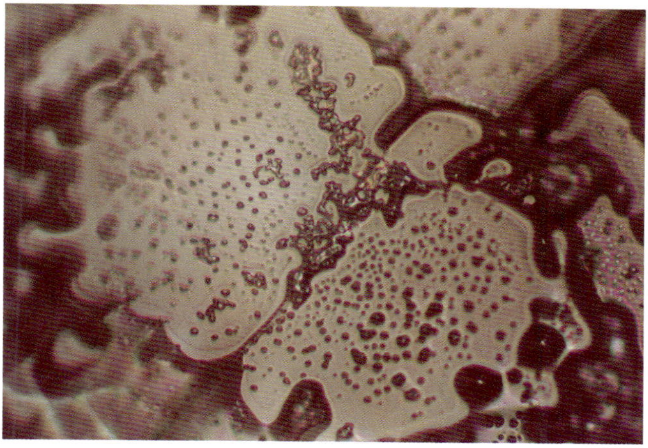

琵琶湖·接受祝福前

琵琶湖·接受祝福后

接受了三百五十人的美好祝福后，湖水向我们展现了美丽的结晶，简直无法相信还是原来的水。

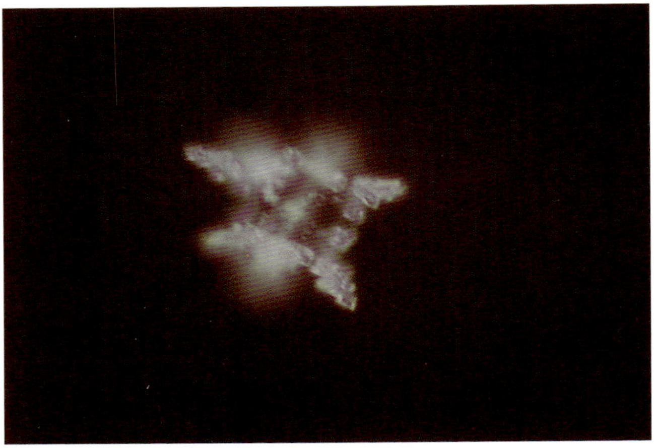

瑞士卢塞恩的水 · 奉上真心祝福前

瑞士卢塞恩的水 · 奉上真心祝福后

在瑞士卢塞恩，奉上真心祝福前后的水向我们展现了完全不同的结晶。

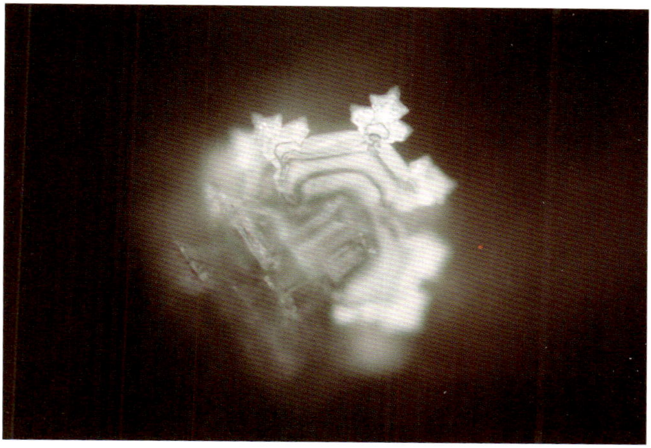

瑞士苏黎世湖 · 受到赞美前

瑞士苏黎世湖 · 受到赞美后

瑞士的苏黎世湖的水，受到赞美前结晶只能形成一半，受到赞美后的水形成了特别清晰的结晶。

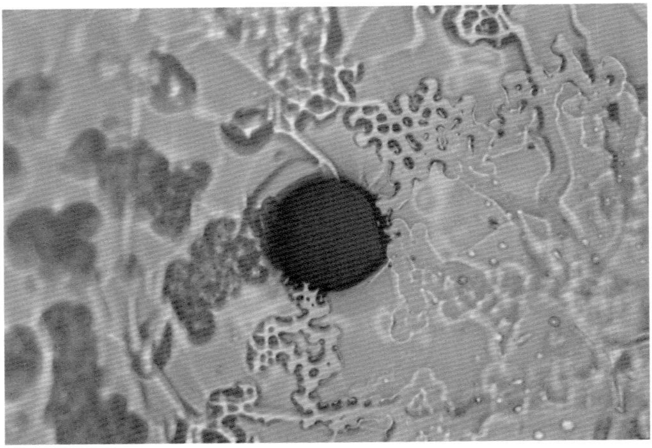

巴哈马 · 充满感激地对水说话前

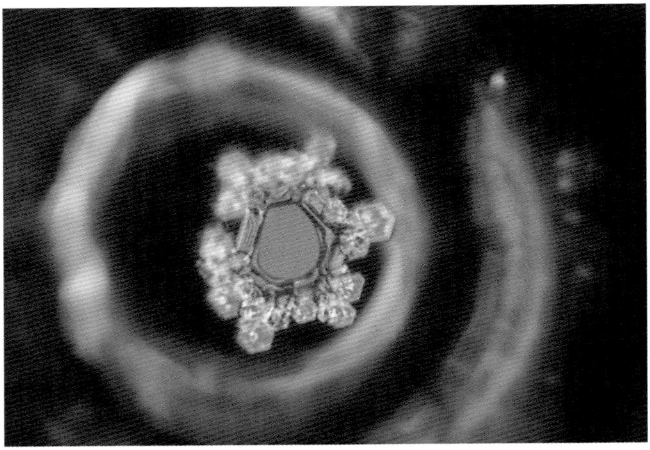

巴哈马 · 充满感激地对水说话后

在巴哈马，大家手拉手围着放在桌子上的杯中水，内心充满感激地对水说话，结果就像所看到的这样。

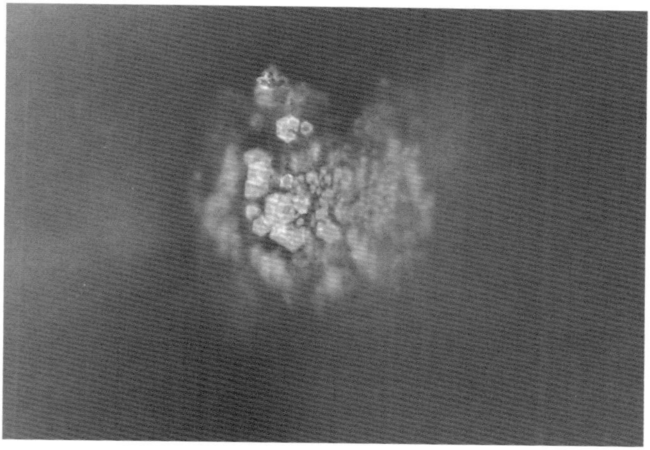

俄克拉何马州的雾琴湖 · 奉上赞美的语言前

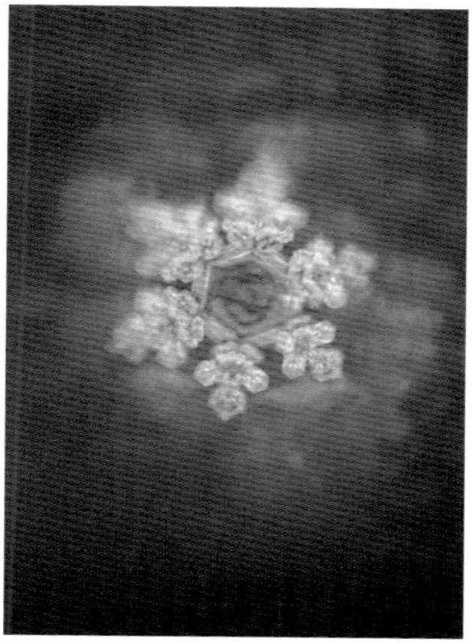

奉上赞美的语言时

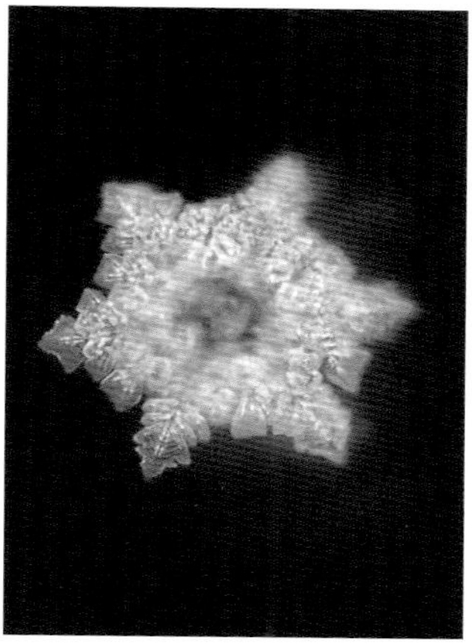

奉上赞美的语言后

在俄克拉何马州的雾琴湖，以当地居民为主的人们向水奉上了赞美的语言。我们几乎能清楚地看到水结晶随着大家的赞美逐步变美的过程。

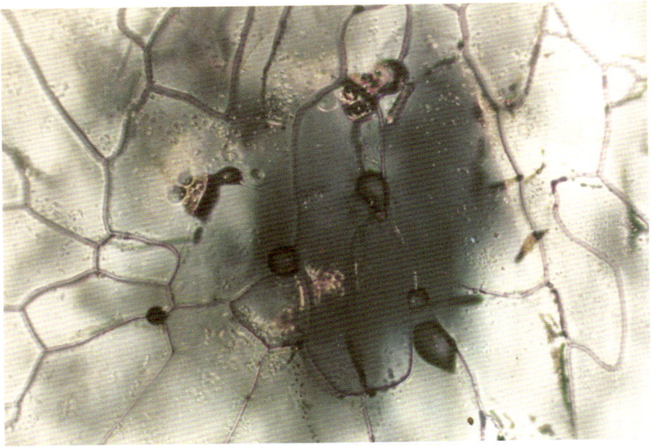

所泽的雨水·三年前

所泽的雨水·现在

距东京较近的所泽，因燃烧垃圾产生二噁英污染远近皆知。但市民对问题认识程度提高，再加上要改善现状的愿望和努力，雨水竟发生了如此大的变化。

用三种语言来表达“爱与感谢”

“爱与感谢”的结晶好像能将世上所有的美都表现出来。我们不仅拍摄了日文的结晶，还拍摄了英文和德文的结晶。

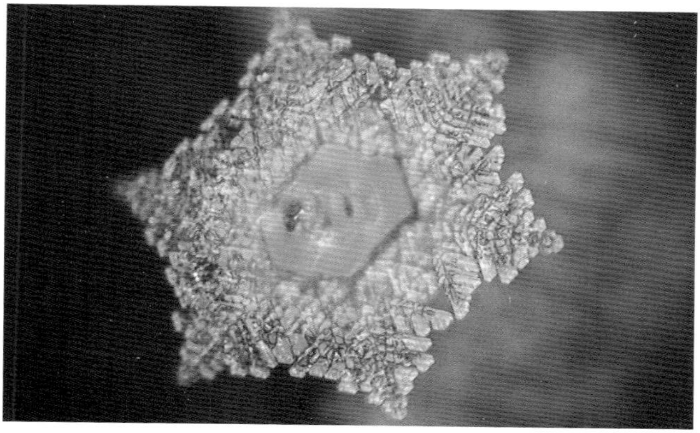

Love · Thanks（英语）

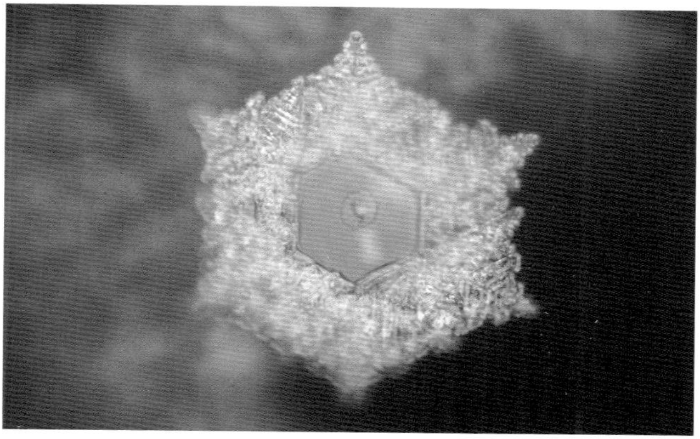

Liebe · Danken（德语）

每个结晶都非常相似。这说明不论何种语言，都具有相同的波动。也许世界各地的人都能听懂这句话。

爱与感谢（日语）

一切都从这里开始，最后又回到这里。希望在每天的生活中都能感受到这种结晶的美丽。

当水感到爱与感激的时候

从小就经常做同样的梦，非常恐怖的梦。

大地激烈地摇晃，火山爆发形成通红的火柱，汹涌的波涛要将城镇吞没，房屋和高楼就像累起来的骰子一样接连倒塌，人们四处逃命，到处都是风浪的怒吼声和人们的呼叫声，还有将这一切都淹没的大地的轰鸣声……

有时甚至每晚都做这样的梦。现在很少梦见了，但是也会偶尔被这个噩梦困扰，还曾在噩梦中大声喊叫。

为什么会反复做这种噩梦？我至今仍不明白。虽说是梦，但那宛如地狱般的情景深深地刻在了脑海中，许多时候都会回忆起来。

我想，二十世纪末的社会被漠然的不安笼罩着。就在这样一个时期，关注人们内心世界的热潮出现了。

我们平安地度过了预言家们预言世界要毁灭的一九九九年七月，但二〇〇〇年的电脑千年虫问题又一度造成某种混乱。从二十世纪末到本世纪，会不会发生某些大事件？灾害、战争和事故是否会袭击世界？这种不安在我们心头挥之不去，也许每个人内心某处都笼罩着一层灰色。

我们总算平安无事地度过了那段日子，终于跨入了光辉灿烂的二十一世纪。在前面等待着我们的是灿烂的金色未来。至少我们是那样想的，直到那一天到来之前……

二〇〇一年九月十一日，两部飞机像被什么牵引着似的，猛然撞倒了纽约的世贸中心大楼。从此以后，世界确实发生了变化。在纽约燃起的导火索，飞到了位于遥远的大洋彼岸的阿富汗，并且还试图点燃另外一些地区尚未燃起的火种。

满怀希望迎来的新世纪的第一页，竟然成了布满鲜血的一页。

看到世界这番状况，我脑海中浮现出来的就是儿时经常在梦中看到的情景。

数百年前就有许多预言，比如人类的灭亡、世界的毁灭，或者地球遭到袭击的大灾难等。我并不相信这些，而且一直想尽力否定这些预言。我认为心中想的和嘴上说的都会对世界产生影响。

但是，如果用冷静的目光来观察，人类正一步步地走在通向灭亡的台阶上。不得不承认，现在有许许多多的问题摆在我们面前。

令人惊叹的人口爆炸（在过去的一百年中，世界人口增长了四倍，据推测，今后五十年会再增长一点五倍）和急速发展的工业化，使地球发生了显著变化。有报告显示，如果这种状态持续下去，地球的温度在今后一百年内会上升四到六摄氏度，海平面会上升八十厘米至一百五十厘米。如果真是这样，世界上的许多陆地将被淹没。

海平面并不一定是一点点逐步上升的。在南极，已经有巨大的冰山开始融化和滑落。相当于日本四国大小的冰山如果一下子落入大海，会导致什么结果呢？恐怖的大浪会袭击整个世界，也许会立刻淹没东京等位于海边的城市。

另外，地球变暖导致气象不稳定。近几年，世界上接连发生大的水灾或旱灾，与此相伴的还有世界各地发生的粮食问题。

如果这种状态持续下去，也许我经常在梦中看到的情景真的会成为现实。

要想尽可能地改变现状，我们现在能做什么呢？当然，需要改变每个人的生存方式，而且必须改变生活方式，改变社会的构成。

环顾我们的生活和整个社会，如果与十年前或二十年前相比较，你是否会注意到生活节奏变快了呢？虽然时钟的表针依然按照一定的速度前进，但我们感受到的速度正在逐步加快。

你可以把社会比作一个大陀螺，取名为“物质文化陀螺”。随着社会的发展，物质文化陀螺不断变大，于是直径越来越大。

我们位于陀螺的边缘，直径越大，旋转画出的圆弧就越大。如果是小陀螺，一秒钟会旋转几厘米；但如果是大陀螺，就会变为数十厘米甚至好几米。

尽管时钟的指针仍然按照一定的速度前进，但现象变化的速度不断加快，我们渐渐无法跟上这速度，最终将从陀螺上摔下来。

如何才能从这种循环中摆脱出来呢？办法只有一个，就是与物质文化生活分离。也就是说，在地球上生活的时候，减少物质文化的生活方式，增加“轻快”的生活方式。

物质文化的口号是“越大越好”。如果忠实地遵照这句话，将会使我们的“陀螺”变得更加硕大。

公司的销售额、个人的收入以及国家的整体经济都必须高于上一年。如果低于上一年，或者处于持平状态，就会闹得沸沸扬扬，说什么不景气。如果完成了当年制定的目标，接着会再制定更高的目标，不顾一切地工作。

但是，仅仅有一小部分人能充分发挥自己的能力，活跃在社会上，大部分人根本谈不上发挥才能，甚至感到整日被迫做着并不喜欢的工作。

一旦社会硕大无朋，形成了巨大的体系，每个人就会变得像机器的部件一样，只能做被分配好的工作。

我认为，今后重要的是让更多的人都持有一种观念，即“小的才是好的”。政府、产业构造、企业、各种组织等，都应该尽量限制在最小规模。

因为容器越小，在里面活动的人的作用就越大，这关系到人们能否进一步提高自身的能力。

人只能在自己的活动领域内提高能力。这种说法适用于任何情况，不论具备多出色的才能，只要你还是个普通职员，就永远无法代替科长的作用。

在自己的领域内积累了足够的经验后，就会发现还存在超出以往范围的广阔世界，这就是成长。如果后来成了科长、部长，就能看到以前无法看到的新世界，在新的领域中进一步提高能力。

不过，如果想从经理的视角考虑事情，就必须处于经理的位置。

但在部门不同就互不相识的大型企业中，是怎样的情况呢？许多人无法知道除了自己的领域还存在广阔的世界，整天为工作忙碌。这意味着从一开始就对个人的能力设置了界限。

那么，如果设立如下的“小场所”会怎样呢？

假设要设立公司，那么五十个人聚在一起就足以成立一个新的公司，因此将诞生一位新的经理。如果公司逐步变大，就将一部分人独立出去再成立新公司。公司的最小单位就是五十人。

如果是上千人的公司，通过这种方式能够诞生出二十个公司，相应地就需要二十位经理。

公司职员个个都被委以重任，重要性高出以往数倍。人数变少了，职员能彼此熟知相貌和性格，也比较容易沟通，或许会产生以前无法想象的新思路。

这样的话，女性也会更活跃。哪怕是刚刚大学毕业的新职员，几年后就有机会成为经理。如果发展顺利，甚至可能成为董事。

越小越好的原理并不只适用于公司，政府应该也一样，另外还适用于市、镇、村的组织构成。

时代确实在发生变化。以前把“越大越好”当作理所当然的价值观，现在被越来越多的人质疑。换句话说，以前我们不停地勉强自己，发展到现在，这种做法已经现出破绽。

最近几年，我们目睹了原以为绝不会倒闭的大型金融机构和综合百货商店接连倒闭的现象。

从某个角度来看，二〇〇一年九月在美国发生的恐怖事件也体现了这样的社会现状。当然，恐怖行动是绝不允许的，但纽约的世贸大楼为何会成为恐怖分子的袭击对象？可以这样理解，因为它是世界经济中心的象征，而且是独一无二的巨大建筑。

最近经常听到有些志同道合的人跨越以往城镇、乡村的辖区划分，建立了公社。在欧洲、美国、澳大利亚等地，所谓的环保型公社纷纷成立，而且已形成网络。公社的目标是实现与自然共存的生活方式。

这些公社的形态和体系虽然千差万别，但都对以往的消费生活提出了不同看法。它们都在尝试一种接近自给自足的最小需求的生活。

与大量的快餐化消费相对，出现了“慢食”运动。另外，有些人对全球一体化的理论提出了异议，认为它是用统一化的价值观来约束整个世界。

最近在日本，地域通货这种新的货币形式成了大家谈论的话题。地域通货与流通在世界各地、仅靠投机使数字膨胀的货币不同，它可以单纯地进行物质和劳动力的等价交换，是一种回到货币原始意义的尝试。成立公社的构想就是这一举动的出发点。

这些新型运动和尝试最根本的目标就是不要破坏环境。

为了得到大量的牛肉，大片的森林遭到砍伐；为了那些几乎所剩无几的虾果（形状如虾的树木果实），红木林被破坏了。现在，许多人开始对这些行为发出“NO”的呼声。

人们都说控制当今世界的是石油资本。可以说世界经济甚至是世界上发生的许多纷争，在根源上都与石油有千丝万缕的联系。这也是理所当然的，支撑文明的能量几乎都源自石油。

只要能够获取充足的石油，我们就能继续过奢侈的生活，肚子饿的时候随时能找到开张的店铺。

但从另一方面来看，当石油只剩下最后一滴的时候，我们的生存之路就被完全截断了，无法打开电灯，不能使用电器，不仅如此，甚至不能进口或运输食品。我们的生活，竟然建立在如此脆弱的基础之上。

现在，至少在表面上我们的生活没有任何不便之处。但是，为了面向新的时代，难道不应该从现在就开始采取某些措施吗?

我们必须寻找能取代石油的新能源，还需要发现可以转变为石油制品的新材料。

其实大自然为我们提供了多种可以转变为能源的材料，比如“麻”。

说到“麻”，也许我们平时不太熟悉，至多在夏天穿一件麻制的凉爽上衣。

然而麻这种植物，或许能给人类今后在地球上生存提供必需的很多东西。麻有许多种类，特别是大麻的用处，现在越来越受到人们的关注。

例如，可以用大麻的茎生产纸、布、塑料。大麻的纸产量是木材纸产量的四倍。另外，比起带有农药的棉布，麻制成的布料会让人感觉更舒服。麻的布匹产量是棉花的三至四倍。

从大麻的种子和根茎中，可以提取内燃机车用油、甲醇、乙醇等，这些燃料在燃烧后不会释放出导致酸雨的硫磺，也不会释放出引起大气污染的化学物质。美国的福特公司曾经展示过一种汽车，车身使用的材料都是由大麻制成的，汽车行驶所需的燃料也是从大麻种子中榨取的。

另外，大麻具有很高的食用价值。它的果实中含有的蛋白质几乎和大豆相同，而且利于消化。大麻种子中含有人类所需的各种氨基酸和脂肪酸，是具有均衡营养的理想食品。

如果用来食用，大麻种子中榨取的油有利于身体健康。这种子在中国叫“麻子仁”，被人们视为宝物。这种油含有保湿成分，也适合做洗发水和化妆品的原料。

我们还知道，大麻具有各种药效，并已用它研制出了各种药物，如抗生素、抗抑郁剂、镇痛剂等。据说对癌症、艾滋病、风湿病、先天过敏性皮炎等疑难病症也具有显著效果。

大麻的优点是生长速度非常快，甚至快得惊人，在一百多天内就能够长到两三米，所以一年能有好几次收成。

据说，古代深入敌人内部从事秘密活动的人，就是利用大麻练习功夫。他们撒上大麻种子，每天练习从上面跳过去。发芽后不久的一段时间内，能非常轻松地跳过，但大麻的茎很快便会长高，这样能在不知不觉中跳得很高。

大麻不仅生长速度快，和其他植物相比，将二氧化碳转换为氧气的能力也比较强，这是大麻的另一个特点。大麻吸收二氧化碳的量是落叶树木的三四倍。它确实可以在很多方面为人类带来益处。

但现实中，人们仅把目光停留在大麻的麻醉性质上，导致大麻在世界各国都被禁止栽培。

许多调查结果显示，大麻的麻醉性并没有吗啡、海洛因、可卡因那样厉害，美国的联邦麻醉品管制局没有把大麻归为麻醉品。在日本，《大麻管制法》和《麻醉药品管理法》是不同的法律。

那么，大麻为什么会遭到如此严厉的禁止呢？背后或许隐藏着企图控制世界的石油产业的阴谋。

有些资本家和财阀企图把以石油为中心的产业扩展到整个世界，对他们来说，大麻在各个方面都是障碍。因此，他们也许在过分地强调大麻的危险性，想用法律将其束缚住。

美国原本是和这种作物有渊源的国家。哥伦布能到达美洲大陆，据说多亏了有麻制的船帆和绳索，而且美国《独立宣言》最初就写在麻制的纸张上。首任总统华盛顿积极支持麻的栽培。

但是，这个国家率先禁止了大麻。一九三七年，美国制定了《大麻税法》。由于认定作为药品的大麻容易引发犯罪，这部法律被用来对大麻的买卖和交易进行征税和限制。从此以后，大麻的栽培事实上已被禁止。

日本战后在统帅部的指导下，制定了《大麻管制法》，大麻的栽培受到了限制，不过允许在传统活动或祭祀中使用。

但到了今天，麻的用处正不断在民间得到认可。

二〇〇一年七月，美国有人作了尝试。一辆生态内燃机动车以从大麻种子中提取的油为燃料，开始了绕行美国一周的旅行。这次活动的目的是向人们展示大麻作为资源的用处。

这个尝试理应引起大家的广泛关注，但是由于九月发生多起恐怖事件，这个新闻完全被淹没了，几乎没有报道。

因此，又有一些人开始另外的尝试，即驾驶用大麻油当燃料行驶的汽车纵贯整个日本。

这种车是在靠内燃发动机行驶的汽车中，加入由大麻油制成的“生态内燃机燃料”，从而替代汽油。生态内燃机燃料不会释放出导致酸雨的硫磺酸化物，排放的对人体有害的黑烟也只有用石油产品的内燃机的三分之一左右。

以后，麻也许对人类来说不可缺少，所以应该开始重视它的优点，并将研究它的特性作为一项重要的工作。

自古以来，人们就认为在山河、大海、动物、花草树木等自然万物上都附有神灵，它们与人一起构成了巨大的宇宙。

这种精神就是调和。自然万物没有优劣之分，任何事物都被赋予特有的作用，帮助其他的生命。

日本的四季各自具有独特的美。人们对色、音、香味等特别敏感，所以才能在自然中看到“神”的存在，才能创造出互相传递波动的文化。

声音制造出的某种波动能带来好的效果，这一点在上部作品《水知道答案》中已经作过介绍。

传播语言，奉上爱与感激，当人们的美好心灵联结在一起时，就会成为某种波动，有可能在宇宙间创造出一个新世界。

如果从波动的角度来看，有些问题就能找到答案了。

例如，声音中有可以听到的声音和无法听到的声音。据说，人类耳朵能听到的声音最大限度是两万赫兹左右。现实中有些声音的频率超出了这个限度，这就是超声波。

光也一样。所谓的可视光线，是指三百八十纳米至七百八十纳米左右的电磁波。人的肉眼无法看到超出这个波长范围的光线，但现实中确实存在这样的光线（电磁波）。

也就是说，任何事物都分为人们能感觉到的和不能感觉到的。更确切地说，人类能认知的仅仅是世界的一小部分。

蝙蝠可以发出超声波探路躲避障碍物，所以能“听到”人类无法听到的声音。狗可以敏感地区分人类无法闻到的味道。如果从这个角度考虑，它们都具有特异功能。

同样，或许在意识或生命体中，有些能通过感官感觉到，而有些则无法通过感官感觉到。

我们甚至可以假设，现实中或许存在某种具有高频率的意识，虽然这些意识不具备人类这样的肉体。

假设真的存在这种意识，那它应该能与我们现在的世界构成“相似象”。用声音来说，如果将频率扩大两倍，就会产生超过一个八音度的声音。如果继续成倍地扩大频率，声音便逐渐成为超声波，进入耳朵无法听见的范围。

同样，不管是石子还是草木，从动物到人类，万物都有各自的频率，所以应该存在与之相对应的射频（若干个八度以上）。

我们或许可以认为，这些就是蕴含在森罗万象之中的“本质”。

那些想彻底研究遗传基因工程、物理学等方面问题的科学家，已成为井然有序的美丽自然的俘虏。他们不得不承认，确实存在创造这个世界的某种伟大的力量。

告诉我这个道理的就是水结晶。

水用眼睛能看见的清晰形态，把美好心灵可以改变世界的事实展现在我们面前。

这对人类来说是好消息。我们每个人的想法都会影响这个世界。

大家都应该意识到自身具有非凡的力量。可以改变世界的，正是活在这个世上的我们。

如果注意到这一点，你必须传递给更多的人。与自己产生共鸣的人越多，精彩世界的到来就越早。

爱因斯坦用相对论导出了 $E=MC^2$ 公式。我记得曾经说过这个公式中隐含的另外一个意义。

C 是 Conscious，可以看作人类的意识。M 是 Material，即质量，可以指人类的数量。正如这个方程式所表示的，想把世界改造得更美好的人越多，这种能量增长得就越快。

进入二十一世纪后，仍然有许多人在流血。以色列和巴勒斯坦的纷争特别让我痛心。在整个民族都参与的战争中，到底会牺牲多少生命呀！许多前途光明的年轻人因此丢掉了宝贵的生命。

只要这场战争没有画上句号，世界的和平就无法实现。他们彼此间的憎恶和仇恨也许已被编入遗传基因。经过数千年的岁月，内心已经深深烙下仇恨的印记。

我们不可能去改变他们的遗传基因。那么，我们究竟能做些什么呢？

有一天，一个想法忽然浮现在我的脑海中。

遗传基因和水有很密切的关系。DNA 由两条长链反向平行盘旋形成双螺旋结构，其内侧通过氢键形成的碱基对使两条长链稳固地并联。祖先是靠什么来传递记忆的呢？是血，也就是在体内循环的水。

那么，流淌在他们体内的水是从哪里来的？是约旦河。沿着约旦河的西岸，纷争不断的巴勒斯坦地区南北延伸。住在那里的人们，饮用水肯定来自约旦河。

不论在多么遥远的地方，爱的力量都可以超越时空传递。我认为在世界任何地方，我们都能将爱与和平的波动送到流动的约旦河中。

为了给以色列和巴勒斯坦带去和平，我们应该做些什么呢？我想应该向全世界呼吁，向约旦河送去爱和感谢，送去热爱人类、追求和平的心。

饮用了约旦河水的人们，如果能够接受这样的波动，使身体中充满美丽的结晶，会产生怎样的结果？只要想一想就兴奋不已。

幸运的是，由于水结晶的照片，我受邀到世界各地去演讲。通过水结晶的照片，我可以向日本和全世界的人们呼吁，让我们为世界的和平祈祷。

七月二十五日，在玛雅人使用的十三月历法中，是非常重要的一天。

一年轮回，多余出来的一天——玛雅人把这一天定为“脱离时间的日子”，成为重要的节日。

生活在现代的我们，是否也应该尝试着这样做？我打算通过努力，争取将七月二十五日作为“向水奉上爱与感谢的日子”，并把它定为国际休息日。

请大家做这样一件事：

每个月的二十五日上午七点二十五分或下午七点二十五分，向水表达爱意和谢意。既可以在厨房里，也可以在自己的屋子里，把水倒入杯中，温柔地对水说“我爱你”和“谢谢”。杯中的水和地球上所有的水都是相连的，爱意和谢意会在瞬间传遍整个地球。

也可以在干刷碗、洗衣服等家务活的时候对水说话，爱意和谢意会通过你的口，流到从水管淌出的水中。因为水会流动，你可以想象这些水能与世界上所有的水连接起来。

你向水发出的爱与感谢的波动，会成为金色或银色的光，顺着水传出。那耀眼的光芒会扩展到全世界，最后整个地球都会闪闪发光，这光芒就是这个星球充满和谐的体现。

水会传播人们的想法，能够传递幸福。我们人类原本就是水，不论你身在何处，爱与感谢都会传播到世界各地。

所以，让我们奉上爱心吧。向地球某处正由于毫无缘由的争斗而受伤的人，向失去了父母流浪街头的孩子，向因病无法活动的老人，向被地雷炸掉双腿却顽强生存的人……

就在现在，这一瞬间，你能做的事情有许许多多。

我忽然明白了，小时候反复做的噩梦不是毁灭的预言，也不是担忧人类未来的预言，那是在告诉我应该完成的使命。

但是，这不光是我个人的使命，现在正在阅读这本书的你，同样被赋予了各自的任务。

用爱与感谢充满内心，向世界发出你的祈祷，向人们传达你的仁慈之心。

只要我们还活着，就必须流动。

后 记

到此为止，我们一起进行的水之旅，已经接近尾声了。

你在旅行中有什么发现吗？

你是否已经找到了想要的答案？

水知道一切，知道幸福生活的方法，知道热爱自然的意义，知道人类应该前进的方向……

当我们回到水的时候，答案自然就会出现。

水是生命。

英国的生物物理学家詹姆斯·拉伯劳克博士曾经提出“万物之母”

理论，认为地球是一个大生命体。

为了使生物易于生存，地球上的环境要维持一定的状态。任何地方的大气中所含的氧气，都是百分之二十左右，这真是绝妙的平衡。植物通过光合作用制造出氧气，动物呼出二氧化碳。地球具备保持平衡的机能。

而且，大气这种平衡能使地球维持一定的温度，如同人的体温不会随着季节的变化而变化一样。生物自诞生以来已经经历了三十五亿年，虽然太阳在逐步变热，地球却能保证生物继续生存下去。

地球的确有生命，那么赋予地球生命的是什么？当然就是水。水孕育了植物，产生了氧气，创造了生物。

但是，正如大家所知道的，地球最近正在逐渐失去这种平衡，人类甚至在改变大气的平衡状态。

水是美丽的。

当来自遥远宇宙的冰块飞落到地球上时，意味着一切即将开始。

所有的生物从此诞生，覆盖整个地球表面的自然景观也从此时开始。人类创建起来的文明，包括每个人的人生，都从此时产生。

所有的美，都从此时产生。

大地铺满了绿色的地毯，如绢丝般的雨帘降落下来；从云朵缝隙中射出了金色的日光，空中布满了彩虹。

大海上展开了全景画，越往下看，海水的蓝色越深，层次越分明。海面上摇曳的光线勾画出海草和珊瑚的图案，颜色各异、五彩斑斓的鱼群畅游在海水中。

这本身就是艺术。

水结晶也是如此。它放射出的光辉宛如上等珍珠，它精雕细琢，像洛可可式的枝形吊灯一样华丽。

任何艺术家都无法完成的工作，大自然却轻而易举地完成了。

这些并非偶然。其中包含着明确的含义和宏伟的计划，而且还需要无限的热情。

这究竟是由谁来策划的呢?

遗传基因研究的第一人——筑波大学名誉教授村上和雄先生，称其为“Something Great”。它们是“造物主”，是它们将庞大的遗传基因信息（相当于一千多册书）写入人体的六十兆细胞内，制定了宇宙的秩序，并使之井然有序地发挥着作用。

水是按照“造物主”的安排被带到这个地球上的，为了在这个星球上创造美丽的世界。

水是镜子，可以映出人的心灵。如果说“谢谢”，水能反映出词的含义，形成端正的结晶。

如果怀有感激之情，水会读取这种心情，向我们展示绚烂的结晶。

如果居住在地球上的人们的心灵变混浊了，水当然也会随之变混浊。

现在，地球上干净的水越来越少。据推测，人类能使用的水今后会迅速减少。

水从天空降落到地面，最后注入大海，人类能利用的仅仅是一小部分。对此，你可能会感到意外。而且地球上几乎所有的水都是咸海水，几乎所有的淡水都冻结在冰河或高山上。

即使是流动的水，人类也不可能完全得到。注入大海的淡水中，只有三分之一能够成为我们的饮用水，据说这个数量只相当于地球上所有水量的万分之一。

事态日趋严峻，人口在持续高速增长，而被称为“救命稻草”的地下水也开始遭到严重污染。

水的污染，是心的污染。

如果我们自身不做出改变，就无法让水复苏。

水是爱与感谢。

水作为爱与感谢被送到了地球上，现在仍然在继续这一过程。

这是一种怎样的爱与感谢呢？

感谢生命的诞生繁衍，并使生命扎根于地球。感谢自然界万物皆备，能传播生命，使生命形成循环。感谢地球受到保护，将爱、感谢以及和平推广到全世界。

看到了“爱”与“感谢”的水，为什么会形成那么美丽的结晶？因为这是美丽的预言。

为什么水一旦接触到合乎自然韵律的事物，就会展现给我们形状整齐的美丽结晶呢？因为自然是根据爱与感谢的原则创造出来的。

爱与感谢是人的本质。

任何民族都有自己的爱与感谢。即使在“科学万能”的现代，我们还是需要爱与感谢，在自己孩子动手术的时候，在怀念身在远方的恋人的时候……

水作为爱与感谢被送到我们身边，创造了生物。处于生物进化最顶端的我们，现在正向水表达爱与感谢。

或许人类原本就是地球上生成的结晶。正因如此，人类才有保护地球、保护水的责任。

人类必须从重新学会爱与感谢开始。

水，就是你。

水告诉我们的答案，你全都知道。

当你流动的时候，所有的水都开始流动，然后会出现精彩的事情。

爱与感谢的光环会超越大海联结在一起。

对和平与和谐的祈求，会传递到世界的任何角落。

永不停歇，永不淤塞，浩浩荡荡地流向远方。

飞溅起水花，朝着未来，朝着宇宙，继续朝前流吧！

图书在版编目(CIP)数据

水知道答案.2，每一滴水都有一颗心／〔日〕江本胜著；李炜译.—2版.—海口：南海出版公司，2013.10
ISBN 978-7-5442-6638-3

Ⅰ.①水…　Ⅱ.①江…②李…　Ⅲ.①人生哲学—通俗读物
Ⅳ.①B821-49

中国版本图书馆CIP数据核字(2013)第163829号

著作权合同登记号　图字：30—2009—085

水知道答案2：每一滴水都有一颗心
〔日〕江本胜 著
李炜 译

出　　版　南海出版公司　(0898)66568511
　　　　　海口市海秀中路51号星华大厦五楼　邮编 570206
发　　行　新经典发行有限公司
　　　　　电话(010)68423599　邮箱 editor@readinglife.com
经　　销　新华书店

责任编辑　翟明明
特邀编辑　江起宇
装帧设计　李照祥
内文制作　田小波

印　　刷　河北鹏润印刷有限公司
开　　本　880毫米×1230毫米　1/32
印　　张　6
字　　数　120千
版　　次　2009年6月第1版　2013年10月第2版
印　　次　2025年1月第46次印刷
书　　号　ISBN 978-7-5442-6638-3
定　　价　45.00元

Water Knows the Answers

Water Knows the Answers

水知道答案3

水能传递爱的力量

〔日〕江本胜 著　陈晶 译

南海出版公司

新经典文化股份有限公司
www.readinglife.com
出　品

目录

CONTENTS

阅读文字之后的水结晶

真理

真是完美的对称。欧洲有种说法，认为几何学里包含所有的真理。所谓的真理应该就是这样一种形状。

尊敬

自己尊敬的人，应该气度不凡、宽宏大量。同“尊敬”这个词传达的含义一样，水结晶非常美丽，让人产生高贵、敬重之感。

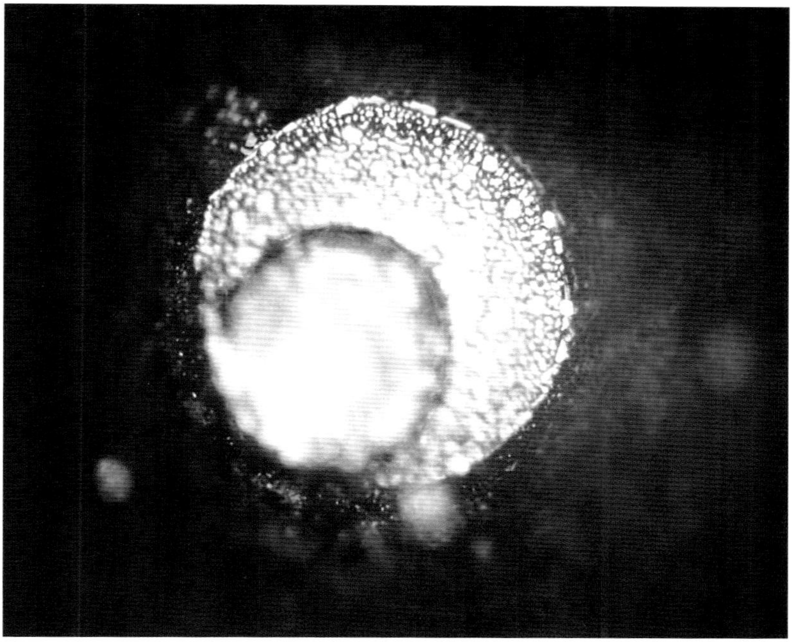

你不行

“你不行”是消极的话，否定了生命现象，因此水结晶呈现出缺乏张力的稚嫩形象。“你必须给我做”（P96）等具有强制性的文字均是如此。

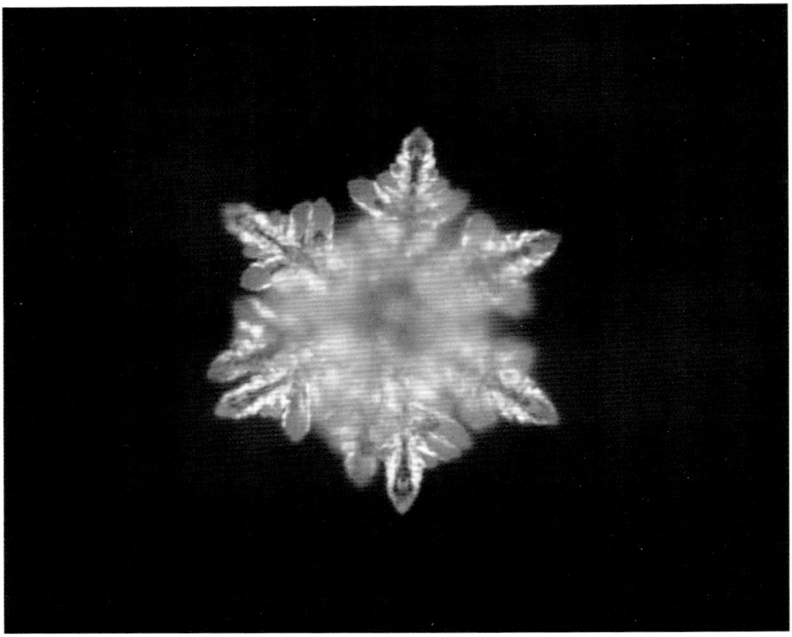

清

水结晶不大，也不是很华丽，但很清澈。也许这才是“清”的真正含义。

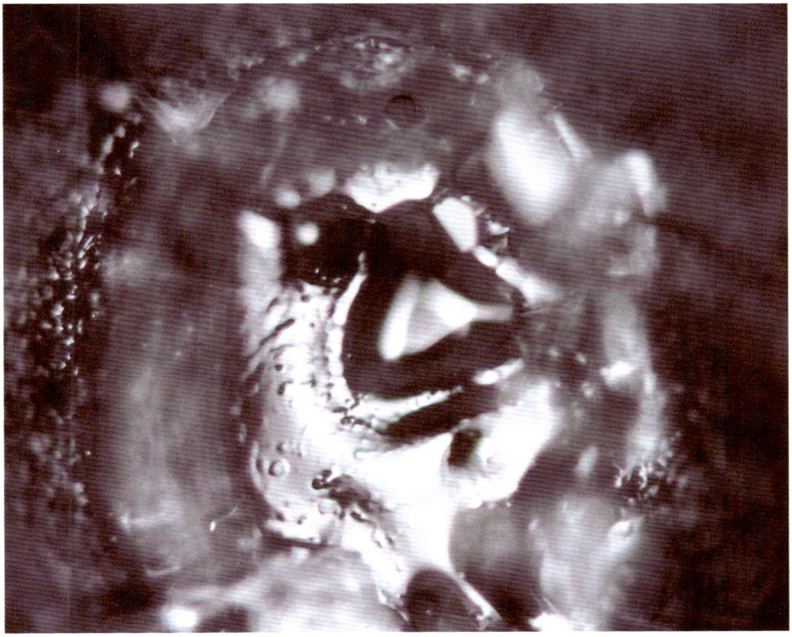

污

“污水”是指“凹陷处的积水”，所以形成了这样的水结晶。水应该是不断流动的。

邻里友爱

人们常说“左邻右舍”。照片上的水结晶也正是这种感觉，它表现了大家团结在一起，互相帮助，建立良好的邻里关系的情形。

博爱

我认为“博”是指所有的方向都没有隔阂。给水看了“博爱”二字后，形成了向四面八方伸展的水结晶。

人类之爱

“邻里友爱”的水结晶再大一点，就是这样的形状了。这种形状更接近完美。

南北统一

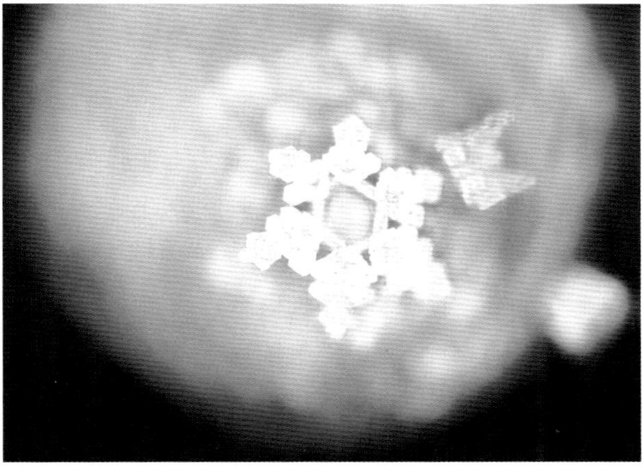

爱国

国家没有和平，那么个人也得不到自身的和平，现在我们所处的时代就是这样。我觉得，热爱自己的祖国，个人的和平也会来临。

敬爱

简直是象征着日本皇太子妃雅子的爱女敬宫爱子的水结晶。

溺爱

抓救命稻草般祈求的爱，并不是真正的爱，所以中心部分有些扭曲，没有形成美丽的水结晶。

爱与感谢

阅读文字之后形成的水结晶里，没有能够比得过它的。它传递给我们重要的信息。

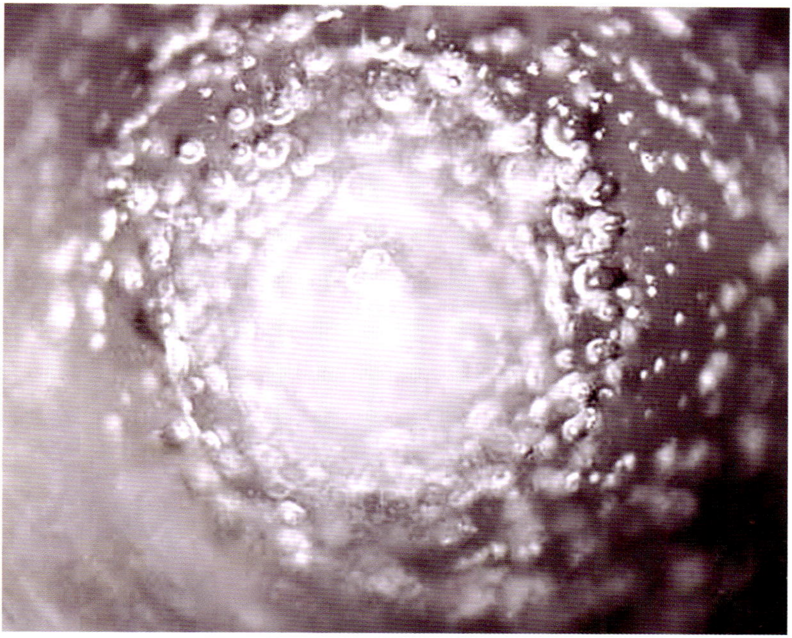

杀死

螺旋状的结晶看起来有如骷髅一般，是有“恐怖窟窿”的水结晶。

气死我了·宰了你

居然形成了戴面具的少年欺负柔弱少女的形状。

正直

简直就是显示过去、现在和将来的水结晶。当然，中心部分表现的是现在，将所有事物的本原呈现，有如正直的镜子。

阪神胜利

最下面是坚持祈祷了十八年的阪神粉丝（双手合十在祈祷的样子），中间是选手，最上方看起来很像被选手们抛在空中的星野教练。水说不定能抓住时代的社会风潮。

前 言

《水知道答案》出版后，畅销势头一直没有减退。特别是在海外，已经在十四个国家上市或准备上市。

众所周知，《水知道答案》的文字并不算多，这是想让读者朋友们能够自由地对照片进行感性的解读。这一方式产生了成效，通过读者的口口相传，这本书在世界上仿佛水的波纹般作为“口信”传播开来。

《水知道答案》是我通过十五年来对波动和水的研究，将从水那里学到的人的生存之法记录下来的一本书。

在日本自不待言，它在所有出版此书的国家都成了畅销书。这给了我莫大的勇气和自信。在书的末尾，我以这样的方式结束：

待我们的灵魂回归宇宙的那一刻，我一定要对各位说：

“让我们一起飞向宇宙，现在先到火星上去看看好吗？”

是啊，要是能把这些事写得更为详细就好了。我很早便想就“人从何处来，为何在这里，死后又将往何处去”这些人类永恒的主题写些什么，这样的想法日益强烈。

在这种情况下，德间书店的丰岛裕三子女士诚挚地向我约稿。这时国内外的研讨会激增，此外还有几个出版社约我写稿，我一时不知该如何是好，但还是被丰岛裕三子女士的热情和单纯打动，最终于繁忙中接下了这个任务。

我的工作日程很满，并没有充裕的时间来写历史悠久的人类永恒的主题。然而，我在宾馆闭关两次之后，关于这一主题终于写出了这么多。当然，我是在非常短的时间内写成的，对内容没有进行特别细致的推敲，也没有时间阅读这个主题的相关参考文献，所有内容都是原创，因此这本书有很多尚未成熟之处，这是一个挑战。文中我也提到，这个主题原本便是所有人都应该考虑的。如果能听到读者朋友的各种批评和意见，我将倍感荣幸。

最后，我想向参与本书制作的德间书店丰岛裕三子女士的努力表达敬意，同时对她做出如此好的书表达诚挚的谢意。

水知道爱的力量

希望

有个短语叫“充满希望”。

小孩子心中充满希望，希望之梦不断变大——图片上的水结晶正给人这样一种印象。请看，水结晶最前端还在不断向前伸展，中心处形成了漂亮的六角形。

人若是想要充满希望，牢牢地打好基础必不可少。我认为父母的爱和教育便是基础之源。

我希望自己能够为世界和平做出贡献，回顾过往的人生，我能坚持这种想法没有放弃，是因为有母亲对我的爱。

家里四个兄弟姐妹中，我排行老四，母亲一直非常疼爱我。哥哥们都很优秀，母亲便没有对最小的我产生过多的期待，我就在这样的环境中无拘无束地长大。结婚后，妻子又无微不至地照顾我。

对我来说，无论母亲还是妻子，都如同大海一般。她们温柔地包容我，让我自由地遨游。

现在，我的希望是建立世界联邦。是母亲和妻子对我的爱护让我拥有了如此大的梦想。

我特别希望将来要为人母并养育子女的女性朋友能在内心培养出港湾般伟大的爱。

孩童时期经常向母亲撒娇的人，自己做了母亲后应该愿意将温柔的爱给予他人。然而最近，越来越多的女性既不愿意向别人撒娇，也不愿意让别人向自己撒娇。如果你也是这种情况，请今后一定要找到能让自己撒娇的人。真心寻找，便肯定可以找到。

未必对所有人宠爱备至，但只与你合拍、能让你想向他撒娇的人，一定就在你的周围。同性中或许也能找到这样的人。

偶尔展现出天真可爱的一面，是加强与对方关系的行为，需要一点勇气。相信你一定能找到可以让你轻松撒娇的人。

能向别人撒娇，应该就能逐渐接受别人向自己撒娇。如果你拥有能让别人放下心防的大爱，你便是身边人的“希望之源”。

当然，看到这样充满希望的水结晶，犹如母亲一样的汪洋大海一定会唤醒你的记忆，令你回忆起自己曾被伟大的爱包容。

就连我也一样。看到“希望”这粒水结晶时，我再次深切感受到了母亲和妻子拥有的大爱以及她们对我的爱，从而得到莫大的鼓舞。

希望

水结晶的顶端还在不断地向前伸展，用这粒水结晶来形容“希望”再适合不过了。请你也成为身边人的“希望之源”吧。

生存的意义与绝望

“你为什么活着？”

如果有人这样问，你会怎样回答？若是我，应该没办法立即作答。因为生存的意义每时每刻都在变化。

请好好地想一想二十岁时你所理解的生存意义，以及三十岁、四十岁时理解的，难道不都在逐渐发生变化吗？而且，有时候人们心中的生存意义并不一定是美好和值得尊敬的。

然而，这粒水结晶却形成了美丽的六角形。它告诉我们生存意义的本质，对所有人来说，它都应该是积极的、有价值的。

在像羽毛一样的水结晶根部有点点美丽的光芒在闪耀，这是我们在其他水结晶中看不到的。生存的价值应该就是亲眼看到这种闪闪发光的东西。

我们回想一下找到生存意义的时刻吧。

大吃一惊时，吓得起鸡皮疙瘩时，兴奋得坐立不安时，你的心都在颤动。

在你的心颤动的那一刻，你便能找到生存的意义。与它的相逢会让你自身闪闪发光。

使自己的优点更加突出，弥补不足，这都是生存的意义。

长处得以施展，你也将愈加闪闪发光，这同样会成为生存的意义。

至于缺点方面，你会自然地去寻找能够弥补的东西。

人们为了拥有平衡感，总是容易被自己没有的东西吸引。如果你和它相遇并从中找到了发光点，也能成为生存的意义。

与形形色色的人相遇，从事有价值的工作，寻找值得花费一生去追寻的梦想……这一切都与自己的生存意义紧密相关。

另一方面，如果绝望的话，人类的免疫力会下降，自我治愈能力也会降低。

在拍摄照片之前，我本以为让水阅读“绝望”这个词后，它不会形成美丽的水结晶，可实际上却拍出了相对完整的、努力形成六角形的水结晶照片。

绝望中总会有希望——这粒水结晶教会我们的正是这一点。

当然，这幅照片上的水结晶是我挑选出的拍得比较漂亮的，因为我并不愿意将扭曲的水结晶展示给大家。

这粒水结晶萎缩蜷曲成一团。人们绝望的时候，也会像这样一点一点地缩起来。

实际上，即便人们在说“我绝望了”的时候，真正绝望的部分也只有百分之八十，一定有希望与之相伴。这粒水结晶也一样，虽小，却令人感觉到有希望出现的迹象。

水的世界里，没有绝对的绝望，因为水不断循环，能恢复到美好的状态。

人应该也一样。不论认为自己现在处在什么样的绝望深渊，每个人心中一定都藏着能让自己拥有希望的力量。

生存的意义

像羽毛一样的结晶根部可以看到有点点的光在闪耀。你难道不觉得所谓生存的意义，便是能亲眼看到这种闪闪发光的东西吗？

绝望

水结晶告诉我们“无论什么样的绝望中都有希望”，因为水结晶上已经有了希望出现的征兆。在水的世界，没有绝对的绝望。

托您的福

为什么这粒水结晶上会出现影子呢？真是不可思议。

感觉水结晶好像通过“托您的福”这句话，映照出了影子，这让我惊讶不已。

水结晶的照片中有类似大象鼻子的（P99），也有映照出神社的稻草绳、人字形屋顶的。水把影响自身的东西原原本本地呈现出来，这让我再一次意识到它拥有的神奇力量。

水结晶可以说是临摹现实社会的“设计图”。

实际上，这张设计图中还加入了对宇宙构成的描述。

《般若心经》中有句话叫“色即是空，空即是色”，意思是实际存在的事物（色）并不存在，而并不存在的事物（空）实际上是存在的。水结晶上的影子应该就是所谓的“空”。因此，我认为影子中隐藏着创造事物的巨大力量。

“托您的福”这样的说法很多地方都有，这实在神奇。无须赘言，这是人类尽知的美丽语言。

“托您的福”所表达的感激之情，能够化为美好的力量，再次将爱注入每个人的心里。

如果人们都使用这种美丽的语言，会是一件很美好的事情。

你最近说过这句话吗？

托您的福

“托您的福”是表达感谢之情的美好话语。水结晶上居然出现了影子，真是不可思议的现象。

混蛋

《圣经》中一篇短文的开篇第一句是“太初有道”（In the beginning was the Word）。语言毫无疑问会给人们带来莫大的影响。

而当水看到“混蛋”这个词时，也绝对无法形成美丽的结晶。

世界最开始形成的时候，大概只存在美丽且具有创造性的语言，因为唯有如此，这个世界才能不断出现新事物，充满能量。

然而，“混蛋”“你不行”（P3）这样具有负面能量的话，随后也出现了。

这粒水结晶像台风旋涡一样，似乎有着破坏万物的力量。这也告诉我们，总对别人说“混蛋”，与让他的心变成恶魔别无二致。

不仅如此，说这句话的人也会受到同样的影响。话语撼动着人的心，激起道道波纹。好的波纹会释放美好的能量，而不好的波纹会将邪恶的能量放大。

负面而又具有破坏力的话语绝对无法产生幸福。你的话语，拥有改变一切的力量。

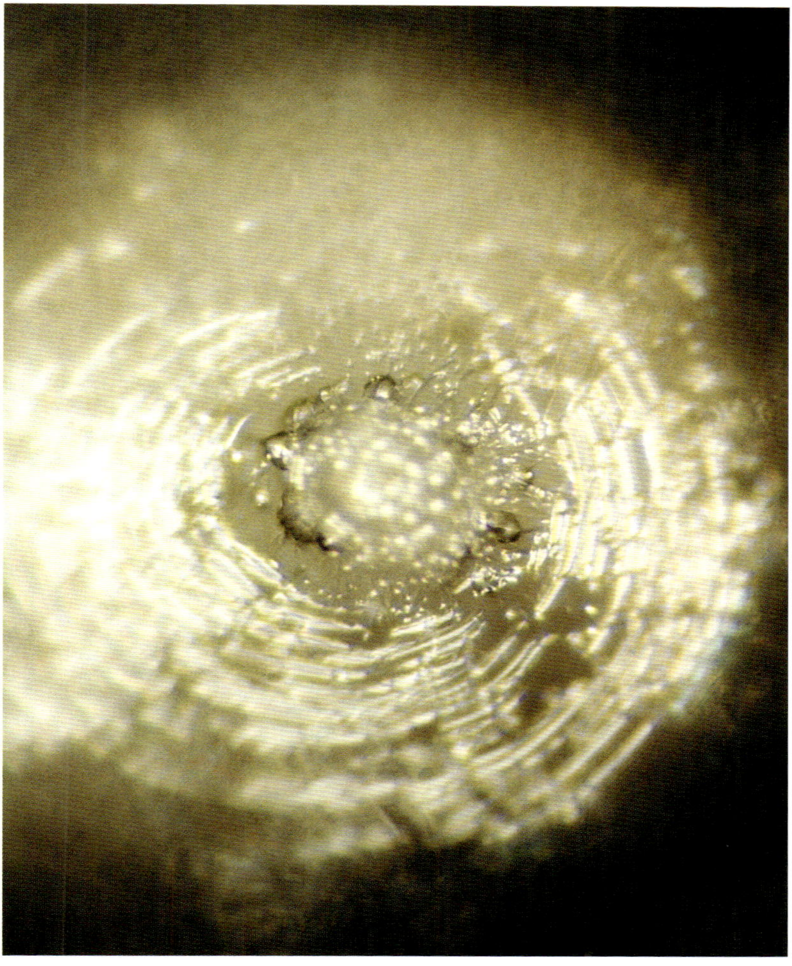

混蛋

水结晶让我们看到了否定性话语的可怕之处。原来否定性话语不仅对人类，对动物和植物产生的也只有负面影响。

自信

看到这粒水结晶，我认识到自信是积累经验后才有的产物。

有些人过于自信，动辄自信满满，但如果没有扎实的实践基础，那么就不能算是真正的自信。

自信既是相信自己，也是相信别人。只有这样，才能得到牢不可破的坚固的自信，也才能得到这样完整美丽的水结晶。

有句话叫“沉默是金”，它也曾被用来形容人的美德。而我，却属于“言出必行”那一类。

我认为对自己说出的话负责，立场坚定，说到做到，这些都与自信密不可分。

想拥有自信的朋友，请一定将这粒水结晶的照片放在胸前的口袋里、夹在记事本中或是挂在墙壁上，遇到事情时便可以看看它。

真正的自信源于对所有的行动负责。

无论成功还是失败都是经验，只要积累经验，宝贵的自信便会让你散发光芒。

自信

拍出来的水结晶是这样美丽绝伦。写下“相信自己”便会得到“自信”，这个词拥有积极正面的能量。

我爱你

水阅读“我爱你”之后，形成了朝气蓬勃的巨大结晶。这粒水结晶的主体部分是非常大、非常美丽的六角形。当母亲对孩子、丈夫对妻子、妻子对丈夫说这句话时，人也会变得美丽而闪耀。

这粒水结晶跟“爱与感谢”结晶的最大区别，是拥有非常舒展的形状。这与“我爱你”是现在进行时态有关。“爱”经常与“恋爱”相比较，我认为不同在于“恋爱”会变化，“爱”却不会，“恋爱”更具有能量。当“恋爱”转变为“爱”时，会变得平和温暖，将你包容其中。

西方人常将“我爱你”挂在嘴边，日本人却无论如何也说不出口。尤其是已过中年的男性，会觉得难为情，若不是非常时刻，怎么也不会说。十年前的我也是如此。但现在不同了，我在员工面前也经常使用这句话，更不用说对家人了。

有人经常说“爱并不是语言”。如果我们能够进行神性般纯粹的意识振动另当别论，可大多数人并没有那种能力，所以我觉得还是将它作为话语说出来比较好。

只是履行义务般或是草率地对水说“我爱你”，水并不会形成美丽的结晶。只有在一定的氛围下，有情绪有冲动，发自内心地想说，真心真意不造作才行。当然，也请女性朋友根据不同的场合，对孩子、恋人、丈夫和朋友坦率地说出这句话吧，但不要强加于人。

通过语言的表达，你体内的水也会闪耀出美丽的光芒。

我爱你

这是每一个角落、每一个部位都宽广舒展的水结晶。如果一直让它阅读“我爱你”，它应该会变得更大、更闪耀。

感动

照片中，水结晶右边枝叶的部分呈现出祈祷的形状。

当祈祷如愿以偿时，当潜意识中的心愿和希望得到满足时，人们会感动。因此，这粒水结晶出现了祈祷的形状。

感动即“有感而动”，拥有撼动人心的强大力量。如果没有感动，人将无法精神百倍地健康生存下去。

“活着，每天要感动十次。”一百零四岁故去的加藤静枝女士曾这样说过。我觉得现代人虽然诸事繁忙，但每天至少应该感动三次，早中晚各一次。

我拍摄水结晶照片以来，最感动的是拍摄藤原水坝的时候。我取了该地的水进行拍摄，水里含有细菌等，非常肮脏（见第五章）。然而，拍出来的水结晶却美丽得几乎让我怀疑自己的眼睛。

为什么会拍出那样美丽的水结晶呢？那时，我百思不得其解。然而，在某一刻我忽然顿悟，它应该是那种人眼无法看到，在电子显微镜下也无法轻易显示的元质点级别的水结晶。而我偶然将它拍了出来。

拍照片的人的灵魂与湖水原本拥有的美好能量交相呼应，引起了精彩的共鸣，才拍出了如此令人惊叹的水结晶。

当意识到这一点时，我深受触动。能引发出超自然的力量，拍出如此美丽的水结晶照片，也让我感动不已。

大家都知道《悲惨世界》里的冉·阿让吧。

他曾是十恶不赦之人。有一天，他在教堂偷银烛台，被警察抓到了，教会的神父却说："那是我给他的东西。"就在那一刻，冉·阿让如醍醐灌顶，心里忽然产生了善的萌芽。不，更贴切地说，应该是他内心所剩无几的"善"觉醒了。之后，他弃恶从善，从事有意义的工作，过上了精彩的生活。而给予冉·阿让这种震撼的神父，也从冉·阿让那里得到了莫大的能量。

现实社会中也有几件让我感动的事。

其中一件事是公司倒闭后，我背负一亿日元的债务。

在老家，我的几个兄弟聚集在一起召开了家庭会议。那时，哥哥们对我说："欠了这么多的钱，怎么也还不上，你自己申请破产，与和子离婚吧。"我也觉得没有办法，已经差不多放弃了，根本没有反驳的力气。然而妻子却果断地说："我不会和他离婚！他一定能重新站起来！"

之后的七年间，妻子当上了人寿保险业务员，赚钱补贴家用，我则用自己赚到的钱偿还债务。

感动应该是爱的行为。它是送给努力生活的人们的一份厚礼。

感动

感动便是“感谢，振动”，是共鸣现象的根本。无论怎样琐碎的小事都没有关系，要珍惜每天的感动。

家族之爱

这粒水结晶启发了我：三代共同生活才是“家族”本来的样子。

三个重叠在一起的水结晶中，最美的是从底部支撑其他两个、围在它们外侧的淡淡的水结晶。我觉得它代表着爷爷和奶奶。虽然大，却绝不抢着出头露面，只想让自己的后辈散发光芒……这难道不是一种了不起的生存方式吗？

然而现在的世界，爷爷奶奶却变成了被疏远、被怠慢的对象。虽然不知道为什么会变成这样，但十分悲哀。

正因为有爷爷奶奶，才会有父母，也才会有我们，水结晶教我们懂得了这一点。

人的生命虽然有限，但只要通过“家族”的纽带就能永远延续。

父母总有一天会变成祖父母，孩子也总有为人父母的一天……这样，生命才会延续下去。

家族的爱伟大而不求回报，能够意识到这一点的人却很少。

它将一直支持你，不断地给予你莫大的力量。

家族之爱

象征爷爷奶奶、爸爸妈妈以及孩子们三代同堂的独特水结晶。“家族之爱”给予你的巨大力量是永远不变的。

慈爱

“慈爱”用来形容父母对子女的爱。这粒水结晶的后侧看起来很大，让人感觉它毫不吝啬地将爱给予成长中的结晶。

其实，“慈爱”这个词对我来说非常重要。

父亲在我上大学二年级的时候过世了，那年他五十七岁。我家并不富裕，父亲节衣缩食才将我们兄弟三人都送入大学。

我听说父亲并没见过自己的亲生母亲。他是岐阜县一个村长的女儿与学校老师的私生子，出生之后便被送到名古屋的妓院寄养。三个月后，父亲成了爱知县江本家的养子。养母非常疼爱父亲，却在他五岁的时候病故。

养父续娶的后母虽然和蔼温柔，但她自己的骨肉诞生后，父亲便不觉产生了难以容身之感。后来，父亲找到了工作并主动调到东京，之后与我母亲相遇。据说，直到父亲结婚需要户口副本时，他才知道亲生父母另有其人。他深受打击，决定寻找亲生母亲，历经周折终于找到了生母的婆家，却最终也没有见到她。

因此，父亲如此重视家人，从某种意义上说是必然的。也因此，我们兄弟三人才得以感受到来自父母的无微不至的爱，非常幸福地度过了孩提时代。

“慈悲地活着”——父亲墓碑上刻着的这句话是我们兄弟为他选择的。现在回想起来，父亲的生活方式便是“慈爱”的最好写照。

慈爱

仿佛我父亲一样的水结晶。并不惹人注目，却用宽广的胸怀疼爱着自己的孩子。

你是谁?

我和水已经打了十七年的交道，水教会了我许多。特别是开始拍摄水结晶照片的九年间，水真的让我受益匪浅。

水教我懂得自己之事、家人之事、职场之事、社会之事、国家之事、世界之事，还有能量之事、生老病死之事以及大自然之事。

现在，我俨然成了一个知晓诸事的人。我想把从水那里了解到的重要信息尽可能传达给更多的人。

因此，我像中世纪的传教士、日本的街头布道师一般奔走于世界各地。得益于日新月异的交通手段，我一个人用三年时间便完成了古人百年才能做成的事。

但这远远不够，走的地方还不够多，话说得也不够多，我还想继续未完成的旅程。但我毕竟不是一休和尚，凡事不能过于着急。就到这里，休息一会儿。

现在，我将迄今为止水教给我的都整理出来，将我所知的都倾倒出来。这样，水还会将更多快乐的知识填到我的脑袋里。

只要中途给我的大脑供水，我便能再次踏上愉快的旅途。读者朋友们，请暂且陪我一程吧。

你是谁？我是水

大概在几年前，有一本乔斯坦·贾德所著的全球畅销书叫《苏菲的世界》，书中有这样一句话：“你是谁？”

我从小便问过自己这样的问题：我到底是谁？为什么在这里？特别是高中时代，这种疑问更深了，还记得我曾经和文艺部的朋友们一起聊到东方既白。那时我读了很多书，从学校图书馆借出各国的文学作品，逐一探寻解决问题的答案。

我被陀思妥耶夫斯基的《白痴》、托尔斯泰的《战争与和平》、维克多·雨果的《悲惨世界》等书影响了。

然而，上大学后偶然参加了橄榄球俱乐部，发现活动十分有趣，我便拼命在操场上奔跑，“我是谁”这样的疑问已经完全被抛至脑后。我不知不觉成了一个“社会人”。

步入社会的二十五年间，无论是经济高度发展的鼎盛时期，抑或是随之而来的泡沫经济，还是资本主义发展高峰期的经济危机，我都不做任何抵抗，也没有任何问题，只一味拼命工作，到头来却遍体鳞伤。回顾往事，我的人生真是跌宕起伏。

“我是谁”这样的思考，只留在了青年时代。

之后又发生了很多事，让我在努力拼搏时遇到了很多良师益友。

一九八六年，我独立创办了一个从美国进口医疗器械的小公司（现在的IHM），人生豁然开朗，我再次开始思考“我是谁”。

现在，我可以明确地回答这个问题，那便是——“我是水”。

什么样的经历让我得出这样的回答，从下面的叙述中便可知晓。

水与波动

得出“我是水”这个答案，是在公司经营的产品从医疗器械转换成“水”的时候。

不知不觉间，我与水惊天动地的相遇成了生意的契机，也让我命中注定被水吸引。或许我与化学、自然科学之类没有缘分，之后便一心一意地在自己喜欢的领域，用文学的角度来挖掘“水”。最终，我注意到了“水的波动性”，从美国进口了波动测定仪，通过这种仪器对水进行测定，开发波动水，创立了波动水疗法，成果显著。与水结识六年后的一九九二年，我在《波动时代的序幕》中发表了这一成果。

虽然只是无名作者在小出版社出版的一本书，却因为得到了船井幸雄先生的推荐而备受瞩目，并引起很多人的共鸣。“波动”这一概念第一次被引进日本的社会。

不料其后不久，出现了奥姆真理教等危害社会的团体，进而有一部分人对“波动”断章取义妄加解释，奇怪的波动产品也出现在街头巷尾。作为一种解释与说法，波动学却因社会上既有的科学家和当权者的意愿，如同泡沫般消失了。

于是，我开始考虑怎样才能使如此重要的、本质性的思考方法被世人理解和承认。我的结论便是除了将看不见的波动世界变得可见，别无他法。没有更好的方法了吗？我每天连做梦都在想。

最终，我想到了一个办法——将水冻结成如雪一样的结晶，将其拍摄下来。

将水冻结，拍摄水结晶照片

一九九四年七月的某一天，我想到了这个方法。

我偶然在书店发现了一本名为《科学尚未解释的五十件事》的书，书中有一篇短文写道“雪的结晶没有完全一模一样的”。读着读着，我忽然灵光闪现：对啊，雪也是水变成的！如果将水冻结，应该可以看得到结晶！

我立即将想法付诸实践，经过两个月的努力，终于成功了。那是一九九四年九月的事，正是东京地铁毒气事件发生半年前。

从那时起到今天，已经过去整整九年，我进行了无数的实验。结果证明，我从水那里学到了无数东西。

之后，我出版了《水的答案》《水知道答案》《结晶物语》，以及《水能说话》《水的“真”力》等一系列作品，也因此将水结晶介绍到了日本以及更为遥远的海外，引起了很大的反响。

我实现了想法的第一步——让我的波动理论得到认可。不仅如此，我还从水那里学到更重要的东西，也将这些东西传达给世界上的很多人，带给他们心灵上的冲击。

现在，“HADO”（波动的罗马字母）这个词已经在海外的读者中得到了广泛的理解和使用。

水占人体的比例

接下来，我们进入为什么“你是水”这一主题。

众所周知，我们的身体平均百分之七十是水。当然，百分比会根据年龄的不同有所改变，越年轻，其比例也就越高。

例如，新生儿百分之八十以上是水，而受精卵的百分之九十六都是水。因此在日本，不幸流产或堕胎的胎儿会被称为“水子”。

百分之七十指的是成人的平均含水比例。六十五岁以上的老年人，身体所含水分则是百分之六十。年龄越高水分含量越少，皱纹也就相应增加了。所以，皮肤光滑的人会被形容为“水灵灵的”。

当水分比例低于百分之五十时，人的身体会萎缩。我的母亲活到了九十三岁的高龄，她的身体在生命中的最后五年里逐渐变小。我想这是为了保证体内的水分所占比例不低于百分之五十，母亲体内的遗传基因本能地将她的身体变小了。

从年龄与体内水分比例的关系来看，水被称为生命之源便不难理解了。

其次，从物质方面来看，人类的身体中，水的比例与其他物质相比占绝对的优势。可以说，人类便是水。（顺便说一句，除了水以外，人体内含量最多的元素是碳，占百分之十；其次是氮，占百分之二点四。）

这些是读者朋友理解本书的重要前提，希望大家能明白这些。

我再重申一遍，人是由水构成的。

爱的起源

所有的“存在”都是必需的

在这个地球，我们生存的环境充满不可思议的事。

为什么会这么巧有氧气、有水，我们能在均衡的温度下生活？为什么地球总在稳定的轨道上转动？这些都令人惊讶。

而且，除了超过六十亿的人类，狗、猫、牛、马、羊、猪、鸡、猴、狸、狐、鹿、熊、狮子、虎、豹、长颈鹿、象、骆驼、袋鼠、蛇、雀、鸽、乌鸦、鹫、鹰、鸭、伯劳、瓢虫、独角仙、蚯蚓等动物，还有微生物、植物、矿物等都存在于这个地球上。

地球上的“存在”多到仅凭一个人的知识无法写尽。它们为什么存在于这里，是怎样诞生的，又是为了什么而产生，这些也许只有神仙才能知道，但它们都具有一个共同点——拥有能量。换一种说法，就是能量造就了它们，即所有的存在都需要能量。

那么，所谓的能量究竟是什么呢？

一切的起源是什么？

从结论开始说，能量即“振动”。

一切事物都由原子构成，在其核心，它们毫无例外都在振动。无论是狗、猫、电脑、书本、房间里的观叶植物、衣服、鞋子、香水，还是面包、大米、家常菜，都包括在内。

“有振动才有事物存在”，理所当然，振动便成了能量。

振动的原子一定会发出声音。道旁的小石子会振动发声，在庭院美丽绽放的郁金香也会振动发声，而诸位现在手里拿着的这本书也正在发出声音。但这些声音我们听不到，也不让我们听到。

造出人类的神明对我们的听觉能力进行了设定，让我们只能听见振动频率为二十赫兹至两万赫兹的声音。这叫可听音域。神明是为了让我们在夜里能够安稳睡觉才这样做的。如果床和枕头的声音不绝于耳，我们肯定难以入眠。

“振动就是生命”同样重要。

“命”字的下半部是“叩”，我认为振动等于生命，若要继续活下去，对其进行叩打必不可少。

“生命就是节奏”。

我们被宣告死亡是在什么时刻？是医生诊脉后说“真令人遗憾，已经过世了”的时候吧。只有心脏停止跳动，才能宣告死亡来临。

关于脑死亡有很多争议，但脑死亡并不是真正的死亡。成为植物人也不能称为死亡。只有心跳停止，即心脏不再振动，才能叫作死亡。只要心脏不停止跳动（振动），医生就不能宣告人的死亡。

因此，从能量的角度来说，“这个世界上的所有事物，都是有生命的”。

我们认为活动着、生长着的事物才有生命，但从振动等于生命这个角度来考虑，可以说就算是路边的一粒小石子也在精彩地活着。

不过，能这样想的人大概是观世音菩萨。菩萨能够听到世间众生的声音，说不定还会教我们懂得“所有的事物都有生命，我们要充满慈爱地珍惜它们”的道理。

那么，振动从何而来呢？

请看“音”字。“音”由立和日两部分构成，这字形证明太阳是能量的起源。太阳升起后才有声音，产生振动。所有能量的根源就是太阳。

日本的天照大神信仰以及世界各国的太阳信仰都具有非常强的说服力。

振动（音）里的秘密

一九八七年，我从美国带回了MRA（Magnetic Resonance Analyzer，波动测定仪），之后一直在研究波动与水的道路上不断探索。

经过十余年，我研制了波动水并为治疗超过一万名患者倾注了心血。我将成果写进一九九二年出版的《波动时代的序幕》等十本书中，将“波动”这一概念传达给了当时的社会。

一九九九年六月，我首次出版关于水结晶的书《水的答案》，得到了全世界的好评，也因此坚定了独创“振动论”的信心。

现在，日本乃至世界都有混乱之处，让人悲伤难过的事数不胜数，让人烦扰不快的事也不胜枚举，将来该怎样走下去？大家都沉浸在不安和恐惧中。

然而，理解振动（音）的性质的话，所有的事便都能找到解释。振动（音）的确拥有许多秘密，如果我们能够了解它，就会了解人类的生存和生命等很多事情。

首先，我的振动论由“共鸣”“纯粹性”“相似象”三种理论构成。

世间发生的种种现象只要运用这三个概念，相信都能得到理解。那么，下面我将逐一进行说明。

获取能量——共鸣

为管弦乐等乐器调音被称作试音，所使用的道具叫音叉，如图1所示。

不同的频率（一定时间内的振动次数）都有其对应的音叉。常用的是能发出440赫兹振动频率的音叉（据说最近有很多人使用442赫兹的音叉，似乎是由于地磁变化导致易听声音的振动频率上升），

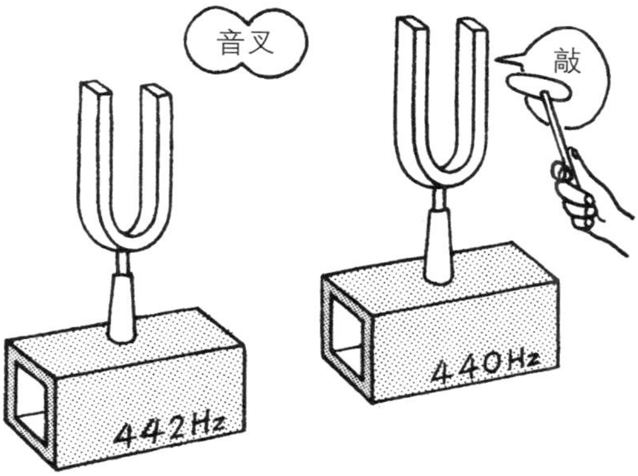
音叉
敲
442Hz
440Hz

图 1

共鸣

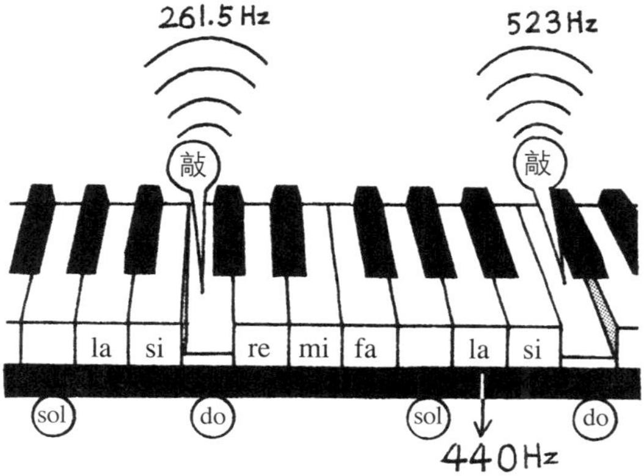
261.5 Hz
523 Hz
敲
敲
la
si
re
mi
fa
la
si
sol
do
sol
do
440Hz

图 2

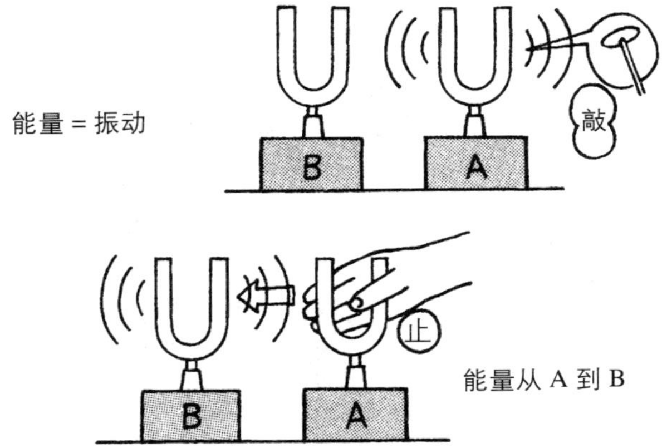

图 3

而 440 赫兹本是人类最易听到的声音。

图 2 所示是钢琴的键盘，音则是键盘中央 C 调的 la。

同样在中心部分的“do”的频率是 261. 5 赫兹，高一个音阶的“do”则是 523 赫兹，即倍数的振动次数。

就“la”而言，从低音阶到高音阶，分别是 27. 5 赫兹、55 赫兹、110 赫兹、220 赫兹、440 赫兹……

这里有两个 440 赫兹的音叉（图 3）。当我们敲打其中一个时，便会响起嗡嗡声和“la”的声音。

稍后，用手指阻止音叉的振动，这时另一个音叉开始发出同样的“la”和嗡嗡声。只要是 440 赫兹的音叉，一定会发出这样的声音。

这种现象叫“共鸣”。

仔细想来非常不可思议。既没有用手触碰，也没有敲打两个音叉中的一个，这个用坚固钢铁所造的兼具质量的物体就开始振动了。

这个现象可以证明，振动就是能量。

二〇〇三年的诺贝尔生理学或医学奖授予了开发 MRI（Magnetic Resonance Imaging，磁共振成像）技术的两位物理学家。而 Resonance 是共鸣之意，是物理学的基础知识之一。鱼群探测器等均应用了该技术。

能量的交换——纯粹性

接着，将两个音叉中的一个换成 442 赫兹的。然后再做同样的实验，敲打 442 赫兹的音叉。然而这次却听不到嗡嗡声。

不过，若是侧耳倾听，还是能够听到振动的细微声响。虽然只有一点点，还是可以确认共鸣现象的存在。

频率为 440 赫兹和 442 赫兹的声音，我们听起来应该完全相同，就因为两赫兹之差，共鸣现象即能量制造现象的生产率却千差万别。

紧接着，当我们将 442 赫兹的音叉换成 445 赫兹的音叉后，居然发现无法产生共鸣现象，令人十分吃惊。

也就是说，当两个物体的振动频率完全相同时，会产生完整的共鸣现象，拥有的能量高度契合。

振动频率完美吻合与距离并没有关联，彼此是相通的。这叫“能量的交换”。

手机也是如此。有的能连接到海外，有的不能。这是发信振动频率的差异造成的。

人心也一样。当我们齐心协力时，便会产生精彩的能量。

因此，如果将世界人口算作六十亿，那么当其中百分之十的人同时祈愿时，难道不能得到巨大的力量吗？

振动（音）——相似象

我说过，世界上所有的事物都在振动发声。也就是说，所有的事物都可以分出音阶。这音阶当然是指“do re mi fa sol la si”。

除了“do re mi fa sol la si”，还有音阶吗？看一下钢琴的键盘就一目了然，do、re、fa、sol、la 各自的高半音都在键盘上用黑键表示。因此，以“do”为起点的一组音阶之间，有十二个音。

人类听觉能辨别分类的音在这个世界上基本只有十二个。十二星座和天干地支都是如此。

将两个音叉排列起来。

这次使用 523 赫兹的音叉（C 调的高音“do”）和 261. 5 赫兹的音叉（低音“do”）。敲 523 赫兹的音叉，可以发现 261. 5 赫兹的音叉也开始响。毫无疑问，反过来情况也一样。

这到底说明了什么?

说明这是不同频率的共鸣。音阶上的“do”无论是低或高，只要是“do”，都会产生共鸣。这叫音阶的关系音共鸣。音阶的关系是指与某频率倍数有联系的音之间的关系。

比如，100 赫兹音的音阶关系音是 200 赫兹、400 赫兹、800 赫兹、1600 赫兹、3200 赫兹、6400 赫兹、12800 赫兹、25600 赫兹、51200 赫兹、102400 赫兹、204800 赫兹、409600 赫兹、819200 赫兹……等频率的声音。

有没有发现它们在呈倍数增加？两倍、四倍、八倍、十六倍……

我称这种关系为“振动的相似象”。

这里值得注意，所有的现象、所有的事物都拥有自己固定的振动频率，即可以说“所有的现象、所有的事物都有相似的关系”。

用最简单易懂的例子来说，就是小提琴、中提琴、大提琴及低音大提琴的关系。

此外，电子围着原子核转，太阳系的行星围着太阳转，这种关系就叫相似的关系。

我们的本源为何物?

最近，“元质点”的存在得到了证实。

这要归功于二〇〇二年因获诺贝尔物理学奖而大放异彩的小柴

昌俊先生等人所做的研究。元质点的大小居然是原子的一亿分之一。原子的大小是0.1纳米(10^{-9}米),由此可以得知,这个世界的基本构成,我们其实既没见过也没听过,是现代人最难以把握的看不见的世界,是无法想象的世界。

我们不妨思考一下。所有的现象起源于大还是小?回答自然是后者。我们也是因为父亲的精子和母亲的卵子结合成受精卵才降临到这个世上的。那么,受精卵形成时究竟有多大呢?目前得出的结论为0.1毫米至0.2毫米,这是肉眼刚好能看见的程度。但实际上,它最初应该更小。莫非开始时只有元质点大小?

所有事物都由现已证实的最小物质单位元质点构成。俗话说“迷失了方向,就回到原点重新开始”。我们正在迷失方向,这是物质社会进步过程中的必然结果。因此,我们还是回到元质点这个原点,再次考虑正确的道路是哪一条。

“这个道理可以理解,但元质点究竟是什么不是还不知道吗?你让我怎样才能了解未知的世界?”很多人一定会这样说。但其实这并非难题。

研究世界基本构成的学问叫量子力学。迄今为止,量子力学家历尽千辛万苦得到的结论大体是:量子(元质点)的世界混沌无序。因为据观测结果来看,观察人员得出的结果各不相同。

然而,我想到的却是前边所说的相似象。更具体地说,就是振动的相似象。这与“人体是小宇宙”的想法紧密相连。

是一卷优秀的录像带启发我想到的，那是IBM公司二十五年前制作的《Powers of Ten》。通过视觉影像，可以准确地理解相似象。那卷录像带将人体和宇宙的相似关系用图像加以表现。也许公共图书馆的录像观看室里会有，请一定去看看。

以对于该影像的记忆为基础，研究所的木津帮我做了幻灯片（图A)。最近，元质点的大小开始为人所知。二十五年前那卷录像带所依据的书的原作者伊姆斯，据说原本是平面设计师，但也可以认为他是个非常感性的充满艺术感的科学家。

无论是上文提到的元质点还是原子，只要存在，便会振动发声。“do re mi fa sol la si”全都能发。

我可以这样断言，是因为除此之外，世界上并无其他的音。当然，

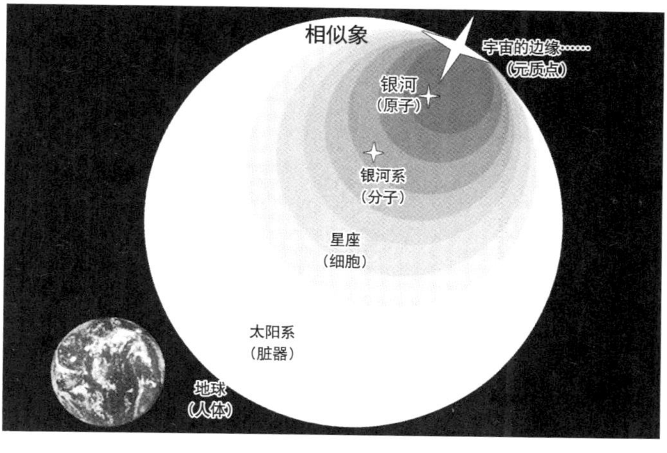

图A

“do”和“re”之间会有音级，“re”和“mi”之间也会有音级，但这些音都在这七个音之间。

这个世界上的声音，只有“do re mi fa sol la si”。无论我们能否听见，这个世界的声音只存在各种音阶不同的“do re mi fa sol la si”。也就是说，在元质点的世界里，声音也是“do re mi fa sol la si”。

我们的身体是宇宙的缩影。当你能这样想时，应该已经了解元质点的世界了。

人类的身体可以理解为“原子→分子→细胞”，而原子之前还有元质点。元质点是物质的最小单位。

能够让元质点活动起来的，是人的意识（积极正面的思想、爱与感谢）、优质的水以及美好的音乐。

只要转而彻底探索振动学，我们应该就可以回归自身的原点了。

“爱”便是给予振动

让水阅读文字后拍摄水结晶，从而结集而成的《水的答案》一书引起了人们极大的兴趣，对我这种新奇手法抱有疑问的人也有不少。有这种想法，我认为十分正常。

我想传达给人们的，是对振动本源意义的表现。《水知道答案》对此有如下说明：

世间万物都在振动，发出各自固有的频率，拥有独特的波动。

我所有的文字均以此为前提。一直坚持研究水的我知道，这才是宇宙的根本原理。

现在，在量子力学的科学世界里，物质原本便是振动已成为常识。将事物细分，便能进入一切都是微粒、都是波的不可思议的世界。

假定你拥有微观的身体，能去探寻宇宙的构成。当缩小到和原子一般大时，你会发现世界只不过是电子围绕原子核转动而已。电子的数量和形状使原子拥有固定的振动频率。

微观世界中的一切并非塞得满满的原材料，而感觉像是一直在原子核周围旋转的波一般的存在。

所有的事物都在不断地振动与活动中，并且以超高速生生灭灭，不断反复。

关于振动与水结晶照片的关系，该书还作了如下叙述：

将文字写在纸上给水看，水结晶就会发生变化，这种现象怎样解释才好呢？应该是文字本身的形状发出了固有的振动，水感受到了这种振动。

水会忠实地描绘出世界上所有的振动，并将其变成我们的眼睛能见到的形状。给水看了文字，水捕捉到了这种振动，并将其形象化地表现出来。

在给水看的文字中，水会做出最美好反应的是“爱与感谢”(P12)。关于这一点，书中有如下说明：

给水看了“爱与感谢”后形成的水结晶最美丽。当然，仅凭“爱”

一个字，就已经能形成十分漂亮的水结晶了，但“爱与感谢”的水结晶比前者更多了一份深奥的品格，散发出钻石般灿烂的光芒。

只看到“爱”的水结晶与只看到“感谢”的水结晶非常相似。若要比较，“爱与感谢”的水结晶则更像后者，即感谢波动的力量影响更强。

爱说起来应该是积极能动的能量。无条件地给予内心深处的慈悲关怀，就是爱。

相对应的，感谢是被动的能量。比如对得到的东西充满感谢，对活在世上充满感激。

尾崎放哉[1]有句话——“没有东西可以存放，我用双手来承接。”用双手牢牢接住的难道不正是感谢吗?

“爱与感谢”宛如阳与阴的关系。如果说爱是太阳，感谢便是月亮；如果说爱是男性，感谢就是女性。

我们的职责何在?

这个想法我最为得意，无论走到世界哪个角落，我都会这样说。很多人在深深叹息的同时，也和我有同样的感受。

最近，就“爱与感谢”的关系，我说了如下一番话。

①尾崎放哉（1885—1926），日本著名俳句诗人。

“爱”给对方感动，对方进而报以“感谢”，回报给予自己爱的人。通过两者这样一来一去的互补，大自然与宇宙便形成了。

音叉让我们懂得了这个道理。

敲响频率为 440 赫兹的音叉 A，再让其停止振动。音叉 B 便开始颤动并发出声音。A 将能量传到了 B 上。

这次，让得到能量的音叉 B 停止振动。这时我们可以发现，声音没有消失，本应停止的音叉 A 又开始振动。这种现象被称为回响或回声。

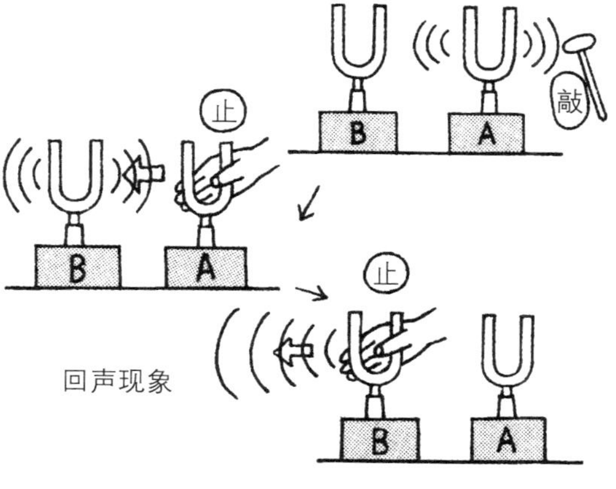

图 4

只要敲击其中一方，另一方便开始振动，发出声音。

发出振动能量的 A，以及接受该能量开始振动的 B，这两个共鸣的物体和“爱与感谢”是不是很相似？

为了让对方充满活力，给予对方能量的所有行为都被称为“爱”。因此，我们的职责在于给所有的事物能量。也就是说，热爱所有的事物是我们的职责。

爱一切事物，对它们进行调整，使之与我们融洽相处，这既是人类存在的理想状态，也是人类作为神的代理者的职责。

“爱与感谢”结成了最美好的水结晶，是水教我们懂得这样的道理。

但仅凭一人或单个事物无法产生这种振动，所以，请毫不吝啬、源源不断地将“爱”给予对方吧！

水之旅

水的不可思议

不管人类多么弱小无力，只要我们的能量纯粹而持续地发出信息，整体形势就会按照我们的意识发生变化。

那么，能够捕捉到这种能量及其振动的水究竟为何物？读者朋友们，迄今为止你们有没有考虑过“水是什么”？

恐怕大多数人都会回答：“说起来，还真是一次都没有认真考虑过。水的存在不是再正常不过的吗？”

是的。我在从事和水相关的工作之前，也从来没有想过这一点。然而，认真考虑就会发现，原来水是非常不可思议的物质。

假设你面前有一杯水，你将一小块冰放进去，冰没有沉下去反而浮上来了，对吧？而你丝毫不觉得这有什么奇怪之处。相信大家都是如此。

但实际上，这就是非常不可思议的现象。

正常情况下，地球上固体的密度要比液体的密度大。因此，若换作其他的固体物质，应该不会浮起来，反而会沉下去才对。冰的情况则正好相反。

具体来说，水的密度是每立方厘米一克，冰则是每立方厘米零点九二克。

一般情况下，温度越高，物质的密度越小。可水不同，在四摄氏度时密度最大。

其次是比热（一克物质温度升高一摄氏度所需要的热量），水的比热在所有固态和液态物质中是最高的。此外，水的表面张力非常强，并由此引发了毛细现象。

水令人称奇的特性还有很多，其强大的溶解性广为人知。水几乎能溶解、搬运所有物质，唯有它具有这种特性。

那么，水为何拥有如此特异的性质呢？虽然从化学角度来看，我们在某种程度上能理解，但实际上对其根源一无所知。能够断言的，唯有水的这种特异性对生命的诞生及维持是不可缺少的。

比如，如果冰比水密度大，那么极地的湖底和海底应该到处是冰，冬天，海和湖从底部开始结冰，形成巨大的冰块，就没有了生命迹象。然而根据四摄氏度的水密度最大这一特性可知，无论在多么寒冷的时刻，湖底和海底的水都能保持在四摄氏度。也就是说，能够保证绝对不结冰。

进一步说，水在一百摄氏度时能变成蒸汽，但水的比热在一切固态和液态物质中最高，这意味着水不会轻易蒸发，可以避免水量突然不足以及温度和热量急剧上升，因此水具有保温能力（物质在汽化时，首先会被夺走热量）。

此外，水的表面张力十分强大，能够轻易引起毛细现象。这可以使水轻易地抵抗地心引力，输送到高大树木的顶端。由此可见，水是维持生命不可缺少的物质。

水具有强大溶解性这一特性可以以我们的血液为例。正因为有水，血液才能以液体形式流淌在人体的各个角落，将各部分所需的营养成分（各处细胞所需的振动）成功送达。

水就是拥有如此令人惊叹的性质，它几乎所有的特性都是为了给生命体的诞生及维持提供必需之物。

水为何会拥有如此特异的性质，我们一无所知。从以往尚无人在此领域获得诺贝尔奖便可见一斑。

“我们是水”，可我们却只了解水的皮毛，可以说我们并不了解自己。也正因如此，无论经过几千几万年，人类照旧发起战争，相互杀戮，做着违背神的旨意的事情。

其他领域的科学研究已颇为深入。水是生命的根源，如古希腊哲学家泰勒斯在两千五百多年前所说的，水是万物之源。对于生命根源——水，我们有必要集众人智慧对其进行研究。如果能够得到答案，我们也将了解自身。

首先，我们要了解一下水的起源。

水从哪里来？

一九九四年十二月，《波动的真理》出版。这本书大受欢迎，取得了六万本的销售佳绩。

这本已绝版的书，在最初阶段确立了我作为波动研究者的地位。通过《水的答案》《水知道答案》了解波动的朋友们，或许对它不太熟悉。

在《波动的真理》中，我写了与本章主题相同的内容。

那是现在的思想之本，所以我将引用相关内容进行介绍。

水何时出现在地球上？

水是地球上所有生命体的源头，我们却对其本身一无所知，想必诸位已经了解这一点了。

我虽很早就提出了“水等于波动”这一理论，但如果不了解水的由来，也就不知道波动。

水这一物质本该早被解释清楚，与地球上的其他物质相比，它具有复杂且难以理解的性质。当我认真考虑这一问题时，突然灵光闪现：现在地球上的水，莫非是从宇宙的某个星球上来的?!

灵光闪现的答案便是——研究所的工作人员数月前给了我一本书，“这本书非常有趣，请拿去参考”。就这样，它便成了我书架上的一员。

书的名字叫《“水行星”的诞生——地球上的水从宇宙尽头飞来》。

该书作者路易斯·A·弗兰克的简历如下：

一九三八年出生于芝加哥，艾奥瓦大学物理学教授。曾参与美国最早的月球表面探测器的设计。迄今为止设计了四十多台宇宙探测器装载的观测装置。这些设备主要用来观测电荷粒子、等离子、地球极光。

此外，处于等离子研究最前沿领域的他，最先测定了木星与土星周围的等离子圈，并首次探明吹入地球磁气圈的太阳风与极光的关系。此外，还最先观测到了如今被称作“回流”的地球周边等离子带，发现了θ型极光。

现参与NASA（美国国家航空航天局）多项与宇宙相关的计划，担任美国国家科学院委员，同时也是物理学会、天文学会、科技振兴协会等组织的会员。

这位保守的著名科学家仍在从事相关工作，并取得了各种光辉的业绩。他在《“水行星”的诞生》的腰封上有如下解说：

> 小彗星暴风雨般降落到地球，产生了人类。
>
> 每分钟就有大约二十个重量为一百吨的小彗星冲进地球的大气层。冰块聚成的小彗星历经四十亿年飞到地球，形成了河川、湖沼、海洋，小彗星还带来了生命诞生所需的物质。

此外，这种忽然到来的物质成为导致冰河时代的重要原因，也是导致以恐龙为首的多种生物灭绝的原因之一。

这本书颠覆地球起源的常识，首次披露物理学新学说，十分令人期待。

这一说法否定了水本是地球之物的观点，如果是真理，将会撼动现代物理及化学，使其向波动科学的方向迈进。

前面已经提到，《波动的真理》于一九九四年十二月出版。那时，弗兰克教授的理论还仅仅是一家之言，《“水行星”的诞生》单行本也只在民间流传。

然而，一九九七年五月，NASA 通过美联社等权威媒体向世界发表了这一信息。日本的 NHK（日本广播协会）也进行了报道，全国性和地方性报纸都登载了这一消息。

NASA 的观测与发表

来自宇宙的“雪球”是海水的供给之源？

NASA 五月二十八日发布了一张照片，照片上是无数雪球状的小天体从宇宙飞向地球大气层。美国极地观测卫星 Polar 首次观测到此现象。

雪球是直径为十几米的小型天体，每天有多达数千个向地球飞来。随着不断接近地表，雪球逐渐分解，最终成为云的一部分。考虑到地球诞生以来经历了漫长的时间，可以认为其有可能是海水的重要供给源。

根据研究小组中的艾奥瓦大学路易斯·A·弗兰克博士的分析，该类天体在离地面两千万米到一百万米的高空细微分解，随着不断接近地表，在阳光照耀下变成云。

因此，它没有掉落地表形成危害，却与地球大气循环生成的云混在一起，降下来自宇宙的雨。

弗兰克博士在一九八六年以二十世纪七十年代末美国卫星拍摄的照片为依据，提出“水来自宇宙”的理论。但当时因为证据不足，没有被接受。

彗星通常由冰、甲烷、氨等构成。研究小组认为，观测到的雪球是与彗星同类的小天体。

日本国立天文台宣传普及室室长渡部润一认为，弗兰克博士最初发表自己的见解时，围绕是否是雪球这一问题，在研究者中引起了广泛的讨论。本次观测到的画面虽然比当时的分辨率要高，具有一定的说服力，但并不能作为决定性的证据。特别是一天之内有数千个雪球飞来，数量太多，观测难度大，因此只能堆砌各种证据。

三个月后，夏威夷大学天文学研究所发表了支持该理论的文章。一九九七年八月二十四日的《每日新闻》进行了如下报道：

海之母是“彗星”

美国夏威夷天文学研究所二十三日在京都召开的国际天文学联合总会上发表了其通过观测百武彗星、海尔－波普彗星得出的结论，证实海水之源是落到地球的彗星一说。

在总会有关海尔－波普彗星的特别研究会上，该研究所的凯伦·米其研究员发表了观测结果。

该研究所的托比·欧文博士等人通过电波望远镜观测了去年靠近地球的百武彗星与今年接近地球的海尔－波普彗星，发现彗星中含有的重氢元素及其化合物约是普通氢的三千分之一。这仅仅是地球上海洋重水含量的两倍，与太阳、土星、木星相比差距非常小。该研究所声明：“我们得知，彗星与海水的重氢含量十分接近，可以认为彗星是海的源头。”

关于海的起源，有说法认为是存于地球岩石中的水长年渗透而出，而另一方面，自二十世纪七十年代观测到彗星中有大量氢以来，海水源自彗星的说法也盛极一时。然而，这两种说法都没有得到证实。

彗星的成分中有百分之八十是水，是如巨大雪球般的天体。虽然之前哈雷彗星中含有重氢已经得到确认，但观测精确度低，比例不明确。能够测定特殊电波的最新观测装置发明以后，出现了百武彗星那样明亮的星体，使精度的高比率测定成为可能。

国立天文台的渡部润一说：

“两颗彗星测出了同样的结果，这成了有力的证据。即便海水并不是全部依靠彗星形成，彗星在海的形成中也起到了非常重要的作用。”

我们是宇宙人

如果“水原本就不是地球的物质”这一说法成立，从生物学角度来看，人类历史及起源便与以往的说法截然相反。

在当今的科学认知中，没有水，所有的生命体都无法诞生、无法维持生命。这样的说法可说是真理。世上应该没有人持有异议。

而如果水果真来自外星，则可以认为所有的生命——至少是人类——其本源远在地球之外。

然而如前所述，如果认同该说法，那么生物学、考古学、人类学、物理学、天文学、医学、心理学、宗教学、化学、教育学等几乎所有领域的科学，都必须重新改写。

对认为水是地球上固有物质的学者来说，接受这样的理论应该非常困难，毕竟要放弃所有辛苦创造出的成果。因此，他们决定对有关这一事实的报告视若无睹。没什么人认真对待NASA、夏威夷大学天文学研究所这两大世界权威研究机构发表的文章。

然而，人类历史上存在种种谜题，如利莫里亚大陆、亚特兰蒂斯大陆、姆大陆等过去曾经存在，后来被水淹没的陆地的传说。像是为了证明它们的存在，在日本先岛群岛等地区发现了数个海底遗迹。还有竹内古文书，供奉在九州阿苏币立神宫等地有关历史真伪的资料，金字塔、狮身人面像的建造时间，光子带的本来面目，末日预言等。如果人类的起源在地球之外，那么这些谜题便可迎刃而解，也就能想出良好的对策。因为从宇宙人类史的角度来看地球人类史，视野更加广阔。像我这样的人的作用便能有所体现。

我很自由，不被任何事物束缚，也没有需要舍弃的荣誉。即便有人说我在说蠢话，我也不以为然。不能说出心中所想，事后再后悔——我不想过着那样的人生。

接下来我要讲的东西，虽说来生可能会发现完全不对，但因为我的主张都是积极的，神明也一定不会过于责备我，应该会原谅吧。

我们的故乡

水从宇宙而来，降临到地球。接着，人类诞生了。有了这样的前提，接下来的童话故事才能讲下去。

我们究竟是以何种方式来到地球上的呢？我想应该还是如NASA所发表的那样——乘坐冰之彗星而来。“乘坐”这种表达方式有点奇怪，我们应该来自隐藏在冰之彗星中的结晶。

冰像是虚幻的存在，因为在温度为零摄氏度时，它便形迹全无，融化消失。但实际上，在零下一摄氏度到零下十五摄氏度之间，使用显微镜仍然能够捕捉到其身影。

而且，它的形状是立体的，即处在三维世界里。因此，冰应该处在三次元和四次元之间的次元。

如果以人类作比，水是液体时便是活着的时候，而结晶状态时便只有灵魂。

而其发出电波时，应该是四次元的状态了。从宇宙某处发出电波的四次元的冰，在接近地球时温度上升，变为三次元半，到达地球时成为三次元，便成了液态的水。

读者朋友们应该知道，水原本在地球上就能变为各种形态。雨、雾、冰雹、霜、雪、云、露、冰、蒸汽——水的形态，我们能立即想到的已经有九种了。

我认为在宇宙空间里，应该有我们不了解，或者说无法想象的水的形态。最近我甚至想，光是不是水的一种。

接下来，还有“人是从宇宙何处而来，为何而来”这一问题。

首先要谈的是“宇宙流放说”。我在想，为什么人无论何时都罪孽深重，无论何时都无法舍弃一己私欲?

我想再次阐明《波动的真理》里的话。

我们是宇宙中被流放之人的后裔。或许我们正是那遥远宇宙某个星球上，因犯罪而被流放之人的子孙。

在临近乌托邦的那颗星上，我们的祖先因私欲犯罪，根据该星球的规定而被流放。大概是根据所犯罪行的轻重决定被遣送的星球。

地球排在什么样的位置不得而知，可一旦被派往由重力这一恶魔所支配的地球，便无法再度返回。由此可见，我们的祖先应该犯下了相当大的罪。

我们的“祖先”被变成冰发射到地球上。那是让人意识模糊的长长的航行。他们宛若彗星般历尽千辛万苦终于来到地球，冲进大气层。

当然，此时由于发热，祖先变成的冰在一瞬间被汽化，变成水蒸气并最终成了云，又成了雨，首次降落到地球上。

经过让人头晕目眩的漫长岁月，人类诞生了，他们忘却了过往的记忆，一切从零开始，向文明社会发展。

之后，他们怎么也无法摆脱重力的影响，而现在正处于紧要关头。这便是故事的结尾。

孩子是神赐的礼物

对孩子怀有期待吧，相信他们，别将错误的教育强加给孩子，给他们一个自由成长的环境。准备好这样一个场所，才是大人的职责。

为此，我们具体应该做些什么？

我认为应该提倡“教育的十个要点”：

1. 孩子只是神交给大人暂时保管的，并不是大人的所有物。这一点还请理解。

2. 放弃将自己的孩子与其他孩子进行比较的想法。

3. 作为保护者的大人，应该将孩子的个性逐渐引导出来。

4. 孩子十岁之前，脑神经细胞还在不断发展，这段时期十分重要，应该特别注意照看他们。他们想要什么，他们各种行为的原因是什么，这些都要弄清楚，请尽量予以理解。如果不能很好地理解，也不要独自烦恼，要和朋友一起商量和学习。

5. 在选择幼儿园或小学的时候，请不要站在大人的角度做决定，要考虑孩子的立场。当孩子三四岁时，他们应该就能清楚地说出自己的意见了。大人的作用是将正确的信息告知孩子，即给他们很多可选项，让他们自己决定。

6. “不行！”“行不通！”“你看看！”“你这个小兔崽子！”请不要使用类似的否定话语，而多使用“一起做吧！”“我们一起做好不好？”这样积极的话语。如果您能清楚地理解波动原理，就应该懂得这在将来能带给孩子多么积极的思考。

7. 不要将孩子当作小孩，而要将其视作具有优秀人格的大人来对待。当然，不要忽视他们的责任和自觉性。

8. 如果孩子提出“为什么会这样”，请和他们一起思考。或许多数情况下我们不知如何作答，请将其作为学习的机会，养成与孩子一起学习和思考的习惯，千万不要做出大煞风景的回答。特别是有关自然科学的提问，为了能自信地回答孩子的提问，请努力学习吧。

9. 有关电波的信息要加以注意。电波本身没有错，但它传递的信息有误时，也会给孩子们带来致命的错误影响。请不要让孩子看到电视节目和游戏中出现的暴力信息。

10. 关于性，请大人思考自己能接受的方式，从平日开始学习（其实也不是什么特别困难的事）。有必要时，就勇敢地告诉孩子们。比起内容，父母坚定的态度和观点对孩子们来说有更好的引导作用。

一切生命均从宇宙而来

也许地球原本没有水。古希腊的哲学家泰勒斯曾说："水乃万物之源。"如果这是真的，不仅是人类，需要水的所有生物包括植物，都起源于宇宙的某处。

将我们送到地球的是神还是其他力量，不得而知。然而，从只把人类送到地球这个没有水源且十分荒芜的星球的行为来看，应该不是心地善良之人所为。当然，应该是把生活在地球所需要的最低限度的物品一同刻在水的信息中给予了我们。

比如说犬。

大多数描述动物的字都有犬字旁，但犬却没有。这是我从敬爱的越南医学家、南加州大学的名誉教授阮文迪那里听到的。据说上天为了人类，对犬说："去帮助人类吧。去做人类得力的助手吧。"于是将犬派遣到地球。

因为是上天派遣的，因此犬由“天”演变而来，在英语中犬写作 dog，上帝写作 God。现在看来的确如此。

接下来是题外话了。最初被送到地球上的动物有马、羊、牛、兔子等家畜，而猫、狸、狼等带犬字旁的动物，是之后犬因为某些缘由变成的（犬字旁是犬的象形文字——《角川新字源》）。

汉字原本便是不可思议的文字。这些字究竟从何而来，当我们能够正确追溯其字源时，现代人类未知的各种谜团才能解开。

比如“闇”这个字，我认为是“声音关在门中”之意，这正是表达量子力学概念的文字。

总之，无论多么小的事物，只要有些许能量，就会有些许声音。无声的世界被称为“闇”的世界。

再打开词典，最先映入眼帘的是部首检字，仔细寻找有关动物的部首，就可以发现犬字旁（犬）、牛字旁（牛）、羊字旁（羊）、虫字旁（虫）、豕字旁（猪）、贝字旁（贝）、马字旁（马）、鱼字旁（鱼）、鸟字旁（鸟），几乎所有的动物名称，都是这些部首加上各种表示其特征的文字组成。

最初被送到地球的就是它们。其后经过进化，各种动物便诞生了。

植物的神秘生活

距今三十多年前，美国出版了一本有关植物的有趣的书——

《The Secret Life of Plants》。这本书在美国成了畅销书，在德国出版后，也卖了超过十万本。日本于一九八七年出版发行，比美国晚十四年。

我提起这本书，是因为书里的实验数据充分印证了所有的生命都来自宇宙。

下面这些小标题都是实验的结果，让人不得不信服。

○ 对人类的想法有所反映的植物

○ 跨越空间，与特定的人保持相同步调的植物

○ 植物也有个性

○ 水的不可思议和超自然能量

○ 用耳朵听植物的反应

○ 未知的宇宙之门已经打开了吗？

○ 地球以外的生物发来信号？（关于植物）

○ 做植物实验需要有爱心

○ 想和朋友、人们在一起的植物

○ 植物是 ET（外星人）

○ 植物拥有语言和记忆力

○ 植物与无机物之间没有边界

○ 音乐促进植物的成长

○ 声波的能量与植物的分子活动

○ 声波产生的共鸣效果

- ○ 细胞通过电磁放射线对话
- ○ 土壤制造了植物、动物和人类
- ○ 通过植物证明元素形成的白垩期
- ○ 与楚天界通信

住在广岛县的三上晃先生也对此进行实践和总结，写出了《与植物进行的共同研究——追求物与心的尽头》《植物在警告》等书。

世界上有诸多科学家开始关注植物具有的特殊信息能力，对于这件事，似乎没有人持有异议。

关于这件事，可以进行如下的思考：与人类和动物相比，植物不能自己移动。它们应该感觉不到压力，即从元素构成角度而言，植物比人类和动物更加单纯。比如某种植物由A、B、C、D、E几种元素组成，而另外一种植物由B、E、F、G、H几种元素构成。虽然植物也有感情，但情感内容却因个体不同而有差异。

进一步说，构成越单纯，波动就越纯粹，因为某种信息产生的热量（能量）就越强烈。地球上的同类伙伴之间互相通信，并与宇宙那边的基地通信，植物应该比人类和动物更容易进行日常交流。

因此，当紧张过度、压力过大的人失去了互相交流信息的能力，试图通过植物作为媒介来获取信息时，只要是为了宇宙的健全发展，怀着爱心来接触植物，我想任何人都可以做到。

某个星球的故事

如果人类、动物与植物是从遥远宇宙的某个地方来到地球，那么其理由和目的应该都是相同的。“把地球这个荒芜的星球变得美好、和平、富饶。”应该是这样的指示让它们来到地球。因此，三者需要团结互助。

而在那之前向地球送来土，应该是让三者生存下去之意。

这样想来，最初送来地球的应该是抗热植物，比如羊齿类植物，这类植物作为雨中的信息降落到地球，对土中某种元素的原子给予波动共鸣的影响，最终物质化，诞生了有绿叶的羊齿类植物。

这些植物通过被给予的特殊能力——光合作用，吸收充满地球的二氧化碳，造出了氧气。

通过先遣队的拼命努力，经过几千年、几万年，地球变得安定平稳。其间大概也培育出了合成某种动物必需的元素。

待到环境变得协调时，发送的一方将最初要送往地球的动物的信息刻到水中，发射到地球上。我想应该是微生物一类。

再经过漫长的岁月，地球终于准备好了迎接人类到来的环境。一百零八种元素已经齐全，温度也达到了平均三十摄氏度左右。

河、湖、海都已出现，数万年前已经送达的植物使氧气变得充足。人类带着家畜终于在地球上登场了。

这对于先前被送到地球的植物来说也十分必要。因为需要二氧化碳的它们制造出了比二氧化碳更多的氧气，如果不能解决这个问题，就会危及自身。

就这样，地球上早已有的土，从宇宙那边来的水以及通过植物准备好的氧气都齐全了。

接下来的问题，便是人类以领导者的角色出现，想方设法让四者（人、动物、植物、土）保持平衡，创造出万物共存的环境。

当然，对于给自己的生存创造了条件的土壤、植物、动物和水，人类是心怀感激来到地球上的。但之后不知何故，这种心情却逐渐减弱，人们变得只考虑自己，结果便产生了种种不和谐之事。如果不能回到原点考虑问题，长此以往会发生更加恐怖的事。现在人类已走到了不知该如何选择的路口。

人性本“善”

我在前边所说的话，也许在一些人看来是蠢话连篇，或许还会骂我：“说不出什么正经东西，真是不像话。”

其实，我想说的是，我们太缺乏对自身起源的探寻意识了。

人类想要作为人活着，这样的想法人人都有。正因如此，更应该坚持关于自身起源的探索，永远挑战下去。

如前所述，我最初认为人类是宇宙中被流放之人的子孙。之后，我才意识到这种想法基于人性本恶一说。

“深蓝儿童说”的出现使我的想法发生了改变。后来，通过对大量水结晶进行摄影实验，我这种想法更加确定。

“我们带着使命被送到这个地球。”

这就是性善说，理由如下。

“无论多么肮脏的湖水或自来水，都会对人的感情和祈祷做出反应。之前只能形成丑陋结晶的水，却因为人类的情感与祈祷的纯粹而形成愈加美丽的结晶。”

比如《水的答案》日文版封面所用的“祈祷后的藤原水坝的水”、该书影像版使用的“孩子们祈祷后的东京自来水”和“五百人远距离同时祈祷的水”等，可以作为证明的例子有二十余个。这些事情告诉我们，所有的人本质上都是“善”的。

由于环境污染与消毒等原因，原本无论如何也无法形成美丽结晶的水，居然能够形成如此美丽的六角形水结晶，这个事实就可以说明这一点。

也可以将这一点比作释迦牟尼的莲花。

众所周知，莲花生长于污泥之中，花却十分可爱美丽。释迦牟尼曾以莲花为例告诫我们：无论在多么恶劣的环境中，人都能让花盛开。他好像在不断强调——我们是水。

无论水被污染得多么严重，只要人们将美好的情感和祈祷投射给它，水便会给我们呈现出美丽的水结晶。这告诉我们，人无论遇到何种逆境，都能通过与心灵美好之人的相遇，通过他们的帮助，像《悲惨世界》中的冉·阿让遇到拥有美好的慈悲之心的神父那样，在逆境中绽放出美丽的鲜花。

这是因为无论多么罪大恶极的人，其本质都是“善”。

人的原子与分子——特别是分子——偶尔会如现在的环境般被污染，但我确信人的本质在元质点层面上都是“善”的。

那么，我们作为“性本善之人”，是抱着何种使命来到这个地球上的呢?

在谈论这个话题前，我想先谈一下对神和宗教的看法。

神存在吗?

我在无宗教信仰的家庭中长大。由于生长在城市中，甚至连日本人最平常的佛教信仰习俗都一无所知。

战后不久，我去过几次美军开办的主日学校。那时唱的几首赞美歌至今仍然会唱。去那里的理由只是可以拿到巧克力和饼干等好吃的东西。

我并没有深入地考虑过有关神的问题。上高中时，我曾经幼稚地和朋友们讨论“人生究竟为何物”，直到天明，但不知为何却没有谈及神与宗教，一直以哲学这类事情贯穿始终。

现在想来，或许正因如此，我步入社会二十余年，都没有神佛信仰。

然而，当我度过第四十五个年头，开始与波动和水产生联系后，想法也逐渐发生了改变。特别是使用MRA波动测定仪，利用小分子团水进行波动临摹，与饱受病痛折磨的患者进行波动对谈时，我的想法产生了巨大的改变。

十多年以来，我进行了超过一万次的波动对谈，成果随着经验的积累越来越明确。

我还意识到要反省违背耶稣与释迦牟尼教诲的生活方式，并注意到病情改善的比例与能理解这一点的比例成正比。

我认为基本的教诲是“爱与感谢”。

“爱与感谢”的情感不够，从遗传角度来讲，或许与前世罪孽深重有关，我以亲身体验了解到了这一点。

在这里，似乎不得不相信神明的存在了。

耶稣、释迦牟尼是神之子，不谨遵教诲的人就会得病，病情加重便会去世。死亡则是对人这一存在的否定。

因此，我认识到患者要心怀“爱与感谢”。只要人希望自己存在，就必须听从神的教诲，相信神的存在。

从其他角度来讲，假定神的存在也具备合理性。

“这个巨大复杂而绝妙的宇宙是怎样形成的？”只要我们认为灵魂存在于肉体这一物质上，人类这一永恒的课题就无法解开。或许这是永远的谜。

然而，不能放弃解谜。因为追求谜底得到解答，是人类被送到

友爱

见到朋友处在危难中，你能伸出援助之手吗？无论是谁，可能都无法立即做到。真希望自己能毫不犹豫地行动。

爱自己

不爱自己，便无法爱他人。

师生爱

这粒结晶像伟大的老师和蔼可亲地守护着学生们。

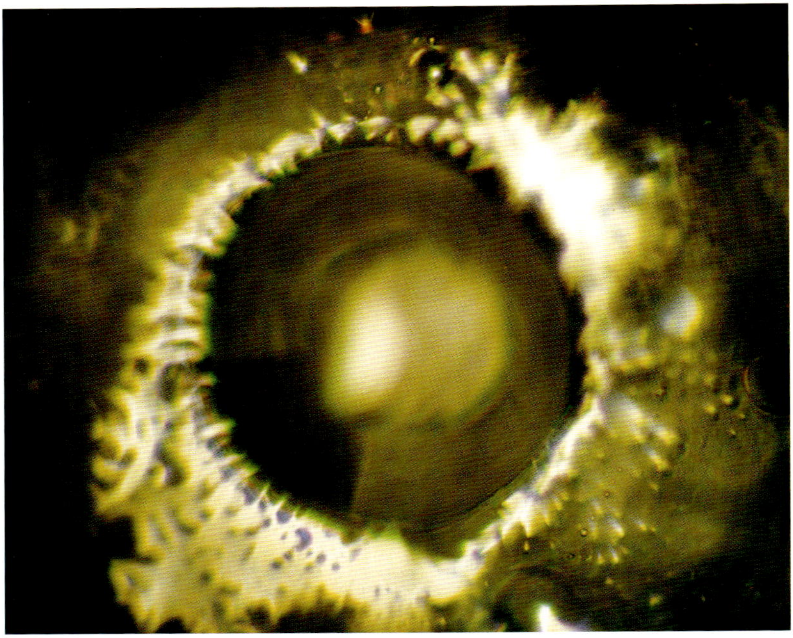

你必须给我做

所有生命都讨厌被强迫。依照自己的意志生存，才是生命的本质。

让我们一起做吧

用语稍有不同，就有如此差距。哪种说法会得到好的结果，一目了然。

韩国泡菜

最近在日本大热的韩国泡菜。结晶里充满了生命的活力。

让水观看照片

出云大社

樱花

大象

看到出云大社的水结晶浮现出了稻草绳。看到樱花的水结晶中央则出现了粉色。看到大象的水结晶里有没有发现象鼻子？

在渡良濑大坝前跟水对话

对水说的话是："水，我爱你。谢谢你。我很珍惜你。"

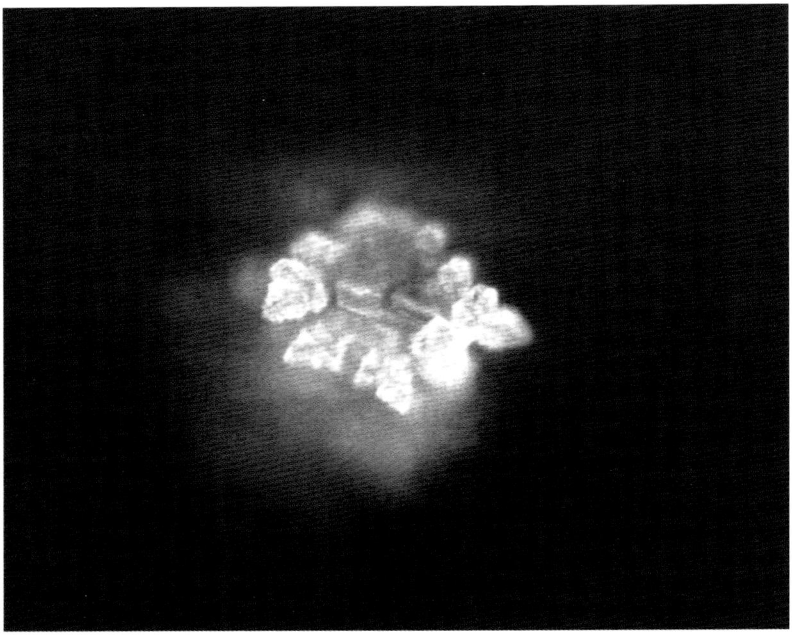

祈祷前

埼玉县北川边小学的学生帮忙采来的学校附近渡良濑大坝的水形成的结晶。

祈祷后

同样的水，学生和家长共三十多人牵起手对水说话后形成的水结晶。

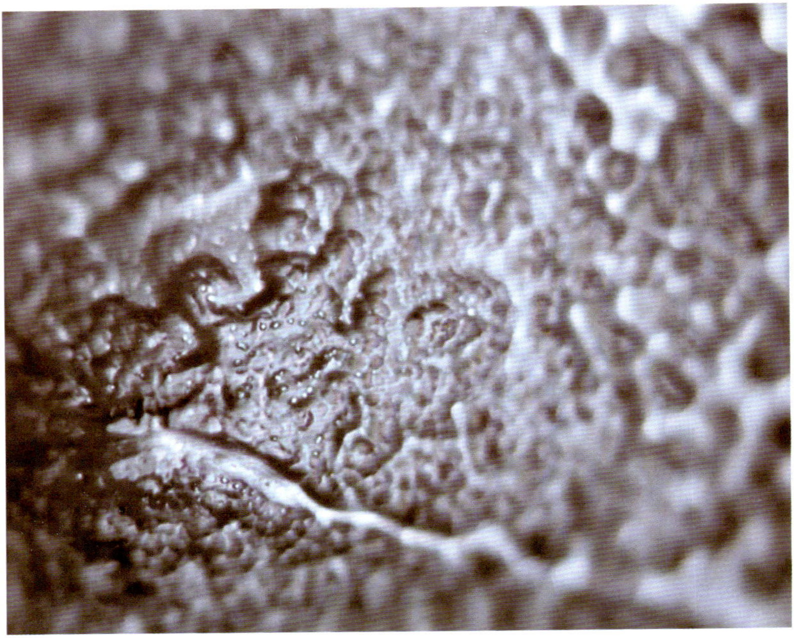

东京都台东区上野公园不忍池

这是从生物学角度来讲相当污浊的水，然而在它形成的水结晶中看到了各种动物和人的脸。水结晶中央的难道是弁财天[①]？不忍池以莲花美丽而著称。

①辩才女神。

明治神宫的清正之井

从城市中心能涌出如此美丽的水，真令人难以置信。应该是善男信女们虔诚的祈祷和情感反映到水中的缘故。

让水阅读“海”这个字后

海①

海②

海③

结晶从①到③，发生了变化。我把变化的过程拍了下来。

水阅读“海”字后，水结晶的成长非常显著，呈现出复杂的形状。从照片中可以感受到变化剧烈的大自然之“海”。

让水阅读“波动”这个词后

波动①

波动②

所有的事物都为“波动”所造，因此，其结晶也如美丽的曼陀罗般有显著增长。

让水聆听音乐后

约翰·列侬的《Imagine》

这粒水结晶的特征是中心部分没有紧密相连，各自离散。“Imagine”不正是浮于现实之外的吗？这是如梦般的水结晶。

从以色列向东京传递语言

从以色列的演讲现场向东京办公室的自来水表达“爱与感谢”。

来自以色列的祈祷

“水，我爱你。谢谢。我很尊敬你。”水听到人们的祈祷，情感穿越时空形成了美丽的结晶。

这个星球的最终目的。这样的挑战也无比有趣，振奋人心。

然而，要解开这个谜，怕是比解开任何复杂的方程式还要困难。

说不定我们找到答案时，会认为之前感觉难解的想法很可笑。我就是这样想的。应该在有生之年尽可能地向真理靠近。在二元的世界找到答案的喜悦，应该比到了另外一个世界之后找到要快乐得多吧。这种喜悦应该称作“妙趣”。

解答疑难问题时，最开始假设答案会比较容易找到。可以假定答案为 X——这是我在数学课上学到的方法。

假定这个 X 为神。筑波大学的名誉教授村上和雄先生称之为“Something Great”。因此，使用“神”这个字并不限于宗教领域，“神”也可以是学术用语。但有一群人厌恶并以使用“神”为耻，那样他们将无法找到最重要的真理。

为了解答这个问题，我们假设存在神。最好的参考书就是记录神之子耶稣、释迦牟尼教诲的《圣经》与佛经。当然，其他宗教中也有很多优秀的经典。我甚至完全没有学习过《圣经》与佛经，了解的只是皮毛。现在能依赖的应该是脑中的潜在记忆。

就我自身而言，较之常人，我的潜在记忆都飘浮在触手可及的地方。归根结底，通过一万多次的波动测定与对谈体验，在激发出他们的潜在记忆时，我也能共享这些东西。

获得拍摄水结晶照片的技术后，我从水那里学到了很多东西，也因此给其他人带来了非常重要的影响。

接下来将要谈及的假说（或者说是童话？），如果与《圣经》、佛经或其他教义相反，请神职人员或宗教研究者务必予以指教。

“语言”从何而来？

据《圣经》所言，神花七天创造了这个宇宙，曰“太初有道”。先不论是不是七天，语言在那时究竟是什么呢？

在九年里，我进行了各种各样的水结晶拍摄实验。其中最让我震惊也最能引起共鸣的是，当给水看文字时，根据文字的意思，水结晶会发生相应的变化。水看了含有积极意义的文字，会形成具有积极意义的水结晶，反之亦然。

比如水看到“谢谢”这个词时形成了美丽的结晶，而看到“笨蛋”这个词时形成了丑陋的结晶。最开始决定进行这个实验时，考虑到语言的个体差异，我用文字处理机打出字后让水看了一昼夜。水感受到了波动。不仅是日语，我使用英语、德语、韩语、法语等多种语言进行了同样的实验，得出了相同的结果。当然，读者和参加研讨会的朋友们一定会问“为什么”。

对此，我经常会进行说明。

我出生在日本，被日本的双亲养育成人，因此能说一口流利的日语。如果我出生时立即被狼捡去，被狼抚养长大，那么现在应该在说“狼语”，完全不懂日本话吧。

大家也是如此。在巴西有很多人拥有纯正的日本血统，但由于没有从父母那里学到日语，他们一句也不会说。换言之，语言与DNA 无关，是“被教出来的”。

那么最初的人类比如亚当和夏娃，究竟是从哪里学到了语言？

教会他们语言的，是大自然。换个说法，他们一定是逐渐听懂了大自然发出的各种振动（声音），模仿后传递给伙伴们。

大自然发出的振动（声音）有很多种。

比如狮子和老虎那种对人类来说很危险的动物的叫声，山羊和兔子那种温顺安全的动物的叫声，或者是沙沙的小河流水声，还有猛烈的洪水泛滥声……自然界发出的声音形形色色。

通过长时间进行各种体验，声带的机能相应发展，人类逐渐创造出语言，词汇量也增加了。这就可以理解为何语言会有区分。

自然因地区而异，根据温度和湿度的不同而有差异。比如日本地形纵向细长，北为亚寒带，南处亚热带。四季宜人，随着季节的变迁，大自然的风貌各有不同。因此，日语的词汇种类及数量在全世界来说都算丰富。

相反，西伯利亚、阿拉斯加常年寒冷，四季不变。自然风光十分单调，该地区的词汇与日语相比少得多。

据说在因纽特语中，有关水的词汇居然有一百七十种以上。这是因为在极地，水有各种各样的形态。语言表达的果然是从自然中产生的事物。

大自然的本质都是相同的。无论在哪里，蛇都是危险的，被人厌恶。除了极特殊的例子，野外生长的鲜花都美丽可爱，无论哪个国家的人都会喜爱。

只是由于温度与湿度的不同，使它们的振动频率产生了变化，在不同的环境中发出不同的振动，声音变得有所差异。在不同的人听来，即便是同样的植物和动物，发出的声音也不一样。

美好的语言创造美丽的自然

由此看来，关于语言的重要概念便浮上脑海。无论哪一国的语言都有形成的原因，并不是人随意想象与创造出来的。

当然，我指的是原初时期的语言。人类在大自然中生存，受大自然摆布时，从自然中汲取了生活食粮，应该能够令五感[①]明亮通达。那时，他们拼命感受自然的波动。而后经过漫长的岁月，随着声带的发展完成了语言的创造。

因此，用日语念出“宇宙”，应该与宇宙实际的振动相同。

振动相同便是共振共鸣之意。共鸣既是能量的交换，也意味着能够对话。

对我们的祖先来说，感受到的宇宙波动便是“宇宙”这个词产

①即视觉、听觉、嗅觉、味觉、触觉。

生的波动。

然而，盎格鲁-撒克逊人的祖先在那时感受到的宇宙应该是“COSMOS”。同样，日耳曼人的祖先感受到的是“KOSMOS”。法语则是“COSMOS”，意大利语是“COSMO”，西班牙语是“COSMOS”，葡萄牙语是“ÇOSMICO”，荷兰语是“KOSMOS”，德语是“KOSMOS”，俄语是“KOCMOC”，拉丁语是“COSMOS”，汉语是“YU ZHOU”。

可见，大多数语言还是倾向于一致。由于感受到了宇宙的广阔和伟大，虽然风土不同，却并没有对语言产生太大的影响。

对此，我调查了无论何处都近在身旁的“水”这个词，结果如下：

法语是“EAU”，意大利语是“ÀCQUA”，西班牙语是“AGUA”，葡萄牙语是“ÁGUA”，荷兰语是“WATER”，德语是“WASSER”，拉丁语是“AQUA”，汉语是“SHUI”。

总之，日本有“言灵”一词，这并不是在讲灵魂，而是能从振动角度予以说明的说法。

将这样的想法进行总结后，我在研讨会上总会说这番话：

如何才能在日常生活中使用正确积极的语言呢？我们可以这样说。

语言是波动（振动）。

语言是大自然的产物。

美好的语言创造美丽的自然。

丑陋的语言创造丑陋的自然。

这是宇宙的根源。

水想向我们传递的信息

追溯语言最初的起源并对其进行考察后，我才逐渐理解《圣经》里“太初有道”的含义。

也许，语言是神创造的。神应该是想把地球变成乌托邦。神最初将作为地球之本的几颗星星（七颗星）以陨石的状态发送到地球，那便是元素。陨石撞击地球，产生的能量在核心聚集了大量的岩浆。

之后不久，当地球变成现在这样大时，陨石不再飞来，却像火球一样燃烧，四处喷出气体。神为了灭火，为了降低热度，制造出了“某种东西”，将其送到了地球。那就是水。

每次发射水时，神都会向水传递语言和信息。那是神自己想象和描绘出的设计图。

神造水时，已经将它预先设置为具有记忆信息能力的事物。

然而，到达地球还有漫长的路程，为了不让水忘记信息的内容，神将水冻结成冰，使其处于稳定状态。当然，不久后地球便会有生命诞生，神将语言以振动的方式传递给水，以维持生命所需的智慧。这就是本章中阐述的水不可思议的特性。

这便是水结晶。

因此，水结晶在非常坚硬时，即温度低于零下十五摄氏度时，不会现出形态。

降落到地球上的水对之后被送到地球上的元素产生作用，生命现象逐渐产生，在与氢结合的基础上发生了化学反应。

当最初预计的生命诞生时，神终于决定将自己的分身送到地球。其基本的设计概念是“爱与感谢”。

对了，神还忘了一样东西，忘了将另外一种基本精神放入“振动”之中。

爱为一，是绝对的。感谢为二，是相对的。组合之外还有一个方向性，比如神忘记放入的是以“爱与感谢”为基础的尊敬的方向性。这是日本自古就有的一二三思想的概念。

当然，神也许立即注意到了这件事，并准备将基本设计放入其中。忽然，神停住了。

“什么都做得太完美就没有意义了，就这样吧。我的分身要去地球的什么地方？让他去高处吧。”

以水结晶的形式被送到地球的人类十分辛苦，不清楚该朝哪个方向走。痛苦地抉择后，他们决定从自然中学习。融入自然之中，与自然一起生存是理所当然的。

然而，他们没有任何武器。既不能在天上飞，也不像恐龙那样具备破坏性的力量，更无法像猎豹那样快速奔跑。既没有狮子、老虎那样锐利的牙齿，也不像鱼那样能生存在水中。他们只有被赋予的五感与智慧。

他们擦亮了五感，其中最值得依赖的就是听力。用心去听，可以分辨出自然发出的振动（声音），一听便知道哪个声音安全，哪个声音危险。

安全的时候到外面勤勤恳恳觅食，危险的时候安静地在洞穴里隐蔽。不久之后，人类意识到单独行动不如几个人一起行动有效率，于是以家庭为基础组成了团体。

随后，他们通过手势传递信号。但这种方式的弊端是双方看不到时便无法起作用。

其次，他们开始模仿大自然的声音发声。经过漫长的岁月，随着声带的发展，人们便创造了所谓的语言。

最初，语言是对大自然发出的振动（声音）的模仿。借鉴大自然的声音创造的语言，是神的语言。

人通过大自然得到神的语言，应该就能与神对话了。

故乡之星

但是，神究竟在哪里呢？

我们以自己是神之子为前提来考虑这个问题。先不论哪里是真正的宇宙中心，若论现在的宇宙中心，应该是北极星。

不过有一点引起了我的注意。两万六千年来，虽然北极星的位置没有发生变化，但这颗星似乎被其他星星替换了。

比如，约五千年前的北极星是天龙座 α，约两千五百年后是仙王座 γ，约一万年后是天鹅座 α，一万三千年后是天琴座 α（织女星）。而在两万六千年后，现在的北极星——小熊座 α 应该又要重新回归了。

这究竟是怎么回事呢？莫非神实行的是轮值制，或是分责制？这是我们今后要研究的课题。

那么我们的祖先是从哪里被送来的呢？

我认为可能是北斗七星。

为什么忽然想到北斗七星？因为我十分在意“七”这个数字。

为什么声音主要分为七种？

为什么彩虹的颜色有七色？

为什么一周有七天？

为什么身体有七个脉轮？

其他与七有关的传说也有很多。比如 lucky7、春秋的七种花草、头七和七七、七夕、七颠八起[①]、七光[②]、七福神、七难等。应该还有许多与七有关的神奇词汇。

声音、颜色、时间、身体这些对人来说很重要的东西，都与七有关。我继续保持着对七的关注。

我和朋友谈起人类究竟来自哪里时，朋友说：“我觉得是北斗七星。”听到这句话的一瞬间，我基本就认同了他的说法：“啊，对啊，就是北斗七星！”

---

①跌倒爬起，顽强奋斗之意。

②诠释之意。

星这个字即诞“生”之“日”，自己的生日与真正的故乡之间应该有一定的联系。

如果懂得了各自出生的星座与北斗七星的关系，就能逐渐明白这个想法正确与否了。

汉字相当值得信赖，如果能正确解析汉字的含义，人类应该能解开众多谜题中的几成。前面所说的“命”字、“闇”字、“音”字、“神”字都是如此。在这个背景下，可以相信人类在太古时代已经在某种程度上解开了神秘的宇宙之谜。

比起最多经历过一百五十年的现代科学的智慧，数千年、数万年乃至更长久的人类智慧更加可靠。

当然，我并不是指全部的人类智慧，但比如泰勒斯、亚里士多德、柏拉图的理念至今仍被认可，现代人无法发现的真理，他们早在两千年以前就已经发现了。

此外，通过占星术来占卜人的性格与命运的习惯，实际上在五千年以前就已存在。现在不仅没有衰落，每天还在电视中出现，发展势头仍然很猛。

人类的习惯和想法若是能持续三百年以上，便多数是有道理的，因为人类并没有那么浅薄。

祈祷的力量

向水传递人的情感

我们的意识影响着水。

特别是当我们想法一致、意识集中时，会产生巨大的效果，有如能到达月球表面的激光。

下面介绍的是在藤原水坝发生的水的净化奇迹。

一九九七年八月末，我应琵琶湖研究会这一民间团体之邀，来到滋贺县大津市的近江神宫皇学馆进行题为“波动·水·生命”的演讲。

在那里，我与一位住持相遇。他掌管大宫市的一家寺院，是真言宗金刚院流的修行者，叫加藤宝喜。

加藤住持仿佛一直在等着我，还拿出两张照片给我看。那是两张湖泊的风景照片，并无任何特别之处，而且是从同一个角度拍摄的同一个场所。

加藤住持一边给我看，一边说：

“照片是同一天在群马县藤原水坝的湖畔拍摄的。我长年修炼真言宗，修行的同时还会祈祷。我感觉周围的水似乎都被净化了。数月前，我到了那个湖，为了净化水，进行了约一个小时的祈祷。祈祷前和祈祷后，湖水的透明度的确发生了变化。”

我目不转睛地盯着这两张照片进行比较，立即发现二者有相当大的差别。确实，祈祷后所拍照片上的湖水更透明。

“哎呀！这真是太了不起了，真是太厉害了。不过我能理解，这就是波动，就是言灵啊，住持。”

“是啊。我所在的寺院是真言宗寺院，真言就是传递言灵。”

“住持，能否请您带我去一次？我想比较一下祈祷前后湖水的结晶照片，进一步确认这种差异。”

“当然可以。等我确定好日程就联系你。”

就这样，我在一个半月之后，与加藤住持一同前往藤原水坝，还带上了负责拍摄水结晶照片的佐藤君和负责摄像的望月君。

加藤住持则带着一位 K 先生。K 先生原本已是癌症晚期，通过加藤住持的加持奇迹般地康复了。

语言的能量

湖水看起来阴沉浑浊。大坝围造的人造湖果然是巨大的蓄水池。

因为几乎没有对流，氧化作用严重，给周围的自然环境带来了恶劣的影响，这是全日本的水坝都面临的问题。这里也一样。周围的树木色彩缤纷，而湖面却没有倒映出它们一丝的美丽。

加藤住持确定了祈祷的场所，并着手准备。他用四棵杨桐树围住一处，洒下准备好的日本酒。除了他自己，任何人不许入内。

接下来，威严的祈祷缓缓开始了。住持的声音响彻四周，那声音年轻得让人想不到他已是七十二岁的老人。他结成各种手印，不时大喝一声。

仔细观察才发现，住持的声音与手印并没有朝向湖水，而是朝向他脚下台子上所放的两个杯子中的水。

“原来如此。大概其中一杯水定为阳，另一杯定为阴，对着阴阳两杯水集中所有能量，通过水的共鸣与共振作用给予广大的湖水生命的振动。”我立即明白了。

加藤住持一刻不停地进行了约一个小时的祈祷。这期间，他姿态庄严，令人感动。没有比专心致志投入某件事时的模样更让人感动的了。我等待片刻，说：

“加藤住持，非常感谢您。您如此疲惫我还来打扰，真是不好意思。能不能请您解释一下刚才的祈祷？”

我单手拿着麦克风摆出采访的架势，提出了许多问题。

加藤住持谦虚而流畅地回答了我的提问。采访大概持续了十五分钟，忽然，佐藤君大声说：

“啊！所长，快看湖！水在不断变清澈！太神奇了！”

在一旁的望月君也说：

“呀！真的啊！湖水清晰地映出了之前没有映出来的周围的树！”

我立即望向湖水，大吃一惊。微风突然停止，涟漪也不见踪影，湖水宛若镜子般将周围美丽的风景映照出来。

“加藤住持，快看！真是了不起啊。我们来这儿时，湖面上明明什么都看不见，现在却那么清楚地映出来了。哎呀，真是了不起，太感谢了。”

“是啊，水变得很清澈了。”加藤住持微笑着说。他似乎并不兴奋，而是认为是理所当然的。

真是没想到啊。我心里这样想着，对加藤住持说：

“我原本以为把祈祷前后的水带回去，要是能拍到水结晶的不同，就能明白其中的差异。能用肉眼真切地识别差异，真是太了不起了。非常棒！和我想的一样，这充分证实了言灵的能量。真的非常感谢。”

七角形水结晶的秘密

三天后，我的感动更是到了无以复加的地步。用加藤住持祈祷前后的水所拍的水结晶照片，让佐藤君声音颤抖地喊出了声。

“社长，真是太了不起了！”一直称呼我为所长的佐藤君只有这次称我为社长。他递过来的照片简直超乎想象。

仔细观察祈祷前的水结晶照片，感觉仿佛是愁眉苦脸的人脸，令人生厌。而祈祷后的水结晶发生了美丽的变化。

仔细观察，形成的水结晶居然不是六角形，而是变成了七角形。目前为止，我还没有拍到过七角形的水结晶。

这到底是怎么回事？啊，原来是这样。我略加思索，得出了自己的理解，就是下面的新假设。

“水应该是一切存在的飞行员，也就是领航员。

“在二元世界向多元世界变化时，只有水与人的意识能量保持同一步调。

“因此，水在多元的世界里，变化出了各种各样的物理特性，给我们启发。而且在太阳系中，水最终的高次元化一定是光。

“我们原本是光之子，我们首先要做的，是回归为光之子。”

这个七角形的水结晶告诉了我这个新假设。每当想起这些，我都胸口发热，泪水盈眶。我能够与加藤宝喜住持相识，真是非常荣幸，非常幸运。

一个多月后，佐藤君给与加藤住持结伴的K先生打电话时，听到了一个可怕的消息。

“我们去藤原水坝之后过了一周，当地的电视台报道了‘藤原湖上浮现被谋杀的女性尸体’这一新闻。翌日，凶手被捕。我真的不认为这是偶然。”

回想起祈祷前的照片，我从水结晶中仿佛看到了一位女性一脸痛苦的表情。而在那个七角形水结晶的照片上，我看到了像莫罕达斯·甘地一样无比慈悲的脸。

那次体验是六年前的事了，令我非常震惊。从此以后，我便不得不认同灵的世界与言灵的世界。

当以人的意识为基础的言灵的能量是基于真诚的爱与感谢发出时，便出人意料地成了优质的能量，推动地球上所有的生命体。这样一想，体内便充满力量，仿佛有一种要迸裂开来的感觉。

超越时空的祈祷

我第一次祈祷是在三十年前的电视机前。

“阿波罗十三号”在前往月球途中，发生了氧气罐爆炸这样令人绝望的事故。当年电视上播出了世界各地的人们祈祷三名宇航员归来的影像。

这其中，让我印象深刻的场面是面向“哭墙”祈祷的犹太教徒的身影。我模仿他们，以自己的方式祈祷三名宇航员顺利归来。

那超越世界种族与宗教差异的祈祷，在人类史上恐怕也是首次。也许正因如此，虽然只有三百万分之一的生还概率，却还是发生了奇迹。

在这个以祈祷为主题的国际性运动的背景下，完全没有受过宗教教育、与宗教无缘的我，便有了那次体验。

今年七月，我来到约旦河畔。为了祈祷地球和平，七月二十五日被定为“向地球上的所有水奉献爱与感谢之日”。

在那里，我进行了一项荒唐的实验。

在以色列加利利湖畔的某个演讲会场，对着远在日本东京浅草桥的办公室，向我桌子上的自来水传送爱与感谢。我非常想看到水结晶接受与会人士的祈祷和话语前后发生的变化。

在场所有人都爽快地同意了。我将水的照片用幻灯片放给众人看，并请他们说:“水，我爱你。谢谢。我很尊敬你。”只说三遍即可。

然后，我与众人约定，五个小时后将结果展示给他们。

我给深夜零点在东京研究所待命的研究员木津君发了邮件，告诉他将水冻结起来。木津君立刻发来回信:

“准备好了，三个小时后可以传送影像过去。”

日本是凌晨两点，以色列则是晚上八点。

夜晚十一时，向大家展示结果的时刻到来了。

“诸位，在大家帮助下得到的实验结果出来了。接下来为大家展示。距以色列两万公里远的东京，究竟能不能收到爱与感谢的话语和祈祷所产生的波动呢？”

平时绝不可能出现水结晶的东京的自来水，形成了美丽的六角形水结晶（P108）。

这就是“祈祷的力量”。

一切均由意识开端，是我们每一个人的意识创造了世界。如果地球上洋溢着“爱与感谢”的波动，那这个世界上一定充满了“爱与感谢”。

祈祷

在我们还是小孩子的时候
没有人告诉我祈祷的重要
妈妈没有，爸爸没有，叔叔没有，阿姨没有
学校的老师也没有
战争中，大家一定都祈祷过
可是，没有用
因为原子弹落下了，家烧毁了，重要的人不见了
所以我五十过半前从未祈祷过
对了，小时候去过几回美军开办的主日学校
祈祷过
“主啊，主啊，请让我们成为你的好孩子。”
我祈祷，是为了拿到巧克力和好吃的点心
但从事水的研究十五年后
“嗯，不是这样，祈祷也是非常重要的事。”
战争时，祈祷不起作用
因为那时候人们祈祷的是取得战争的胜利
希望自己的丈夫、儿子、爸爸、哥哥能出色地战斗

那是强制性的祈祷

为了破坏而作的祈祷绝对不会生效
因为替我们传达祈祷的是水
水肯替我们传达的祈祷是以爱与感谢为本的
这是水结晶向我们证明的事情
因此，祈祷家人平安无事
为重要的人的健康而祈祷，一定会生效
这个世界上的所有人对我们来说
不都是地球家园里重要的家人吗?
所以，大家一起祈祷吧，为了家人的和睦
一起祈祷吧，为了地球的和平
我们的愿望一定会实现

爱让波长合在一起

人类永恒的主题

对人类来说，最大的难题是“人究竟从何而来，为何而来，死后又将去向何处”。关于这一点，应该没有人持有异议。本书叙述的内容也是对此进行的思考。

回顾人类诞生数百万年间存有记录的数千年，柏拉图、苏格拉底、孔子、老子等思想家，耶稣、释迦牟尼等宗教圣人留下的教诲，最后也只是解释这一永恒之谜的路标。

那些圣人的教诲虽然各有不同，但传达的都是真理。

但在当今，现代人已经不再无条件地相信这个变化多端的世界，而是综合掌握，并不用眼睛去看，只是在需要的时候选择与其相对应的教诲，选择认同有利于自己的解释。正因为这样，各宗教、各哲学流派、各民族之间才会产生矛盾，引发大混乱。

就我自身而言，关于幸福与不幸，我缺少与宗教、哲学相关的基本知识来认知。虽然我一遇到重大情形便左右摇摆，不知如何是好，但所幸心中有与生俱来的、以正义感为本的伦理观与同情心（怜悯之心？），不依赖宗教与哲学的基本知识，没有偏向任何一种宗教和哲学，就这样迎来了花甲之年。

到了这个年龄，能像现在这样挑战这个问题，我觉得十分幸福。

十七年前我与水以及波动宿命般邂逅，九年前水结晶照片拍摄的成功以及相关数据的收集，这些都在江本胜这张画布（多多少少赋予我哲学宗教背景的纯白画布）上，随意赋予了魔力。

而且，这张画并不是现代人追捧的抽象画，而是写实画，使用的是在显微镜下拍摄照片的科学手法，因此早已引起了活跃在精神世界中的二十一世纪精英们的注意。我的理念保证并证明了他们作为先驱者的实际成绩，因此他们将其广泛地传播到世界各地。进而被有着忠实信仰、立志要认真看透人生的人承认。

几乎百分之百由水组成的卵子在女同胞的子宫内受精，在仅仅二百八十天后就能生出由数十兆细胞组成的孩子，这使我的理念最终得到了将自己的DNA传给孩子的女同胞的感情支持。

在世界范围内得到诸多共鸣的我，已经不可能仅仅作为刚过花甲之年的普通老头而活。也正因如此，我想挑战关于人类的三大永恒命题。

目前，就这三个命题，我的回答总结如下。

人类为什么拥有“思考能力”？

我已经反复阐述过，没有水，所有的生命都无法诞生。

水原本并不属于地球，而是以宇宙冰彗星的形式被送到地球。这种输入直到现在还在继续。总之：

1. 没有水，生命无法诞生。
2. 水来自宇宙。
3. 因此可知，包括人在内的生命来自宇宙。

那么，水是从宇宙的什么地方，以何种形式来的呢？答案应该就是第四章中说过的，来自北斗七星。不过这种说法终究只是推理，希望读者朋友们能够予以理解。

诸位读者应该也考虑过“自己或者人类真正的故乡在何处”之类的问题。

比如，我自身不太了解占星术，无论是八卦、算命还是命理学都不了解。大概源自古代的各种占卜中，都有了解我们真正故乡在何处的钥匙。

当大家集思广益，利用拥有的知识与智慧寻找灵感时，答案的关键词就会自然地浮现在脑海中。

关于我们的故乡究竟在哪里，以及我们以何种形式被送到地球上的问题，我很有自信，因为水结晶照片告诉了我答案。

迄今为止，我看过为数众多的照片，最终确信水结晶是现实的设计图。

请看第九十九页的图片。

最上面的照片是看到出云大社照片的水结晶，中间是看到樱花的水结晶，下面是看到大象的水结晶。

请仔细看。想必你注意到水结晶的形状与现实之物形象的相似之处了。

如果将我们每个人的脸都给水看，应该可以拍到足以表现本人特征的水结晶。

水结晶的照片和音叉告诉我们这个答案。我曾说过，让水阅读“爱与感谢”后，形成了比之前拍摄的任何水结晶都要美的结晶。

如果水拥有结晶的意义是振动的本质化，是所有生命现象的形象设计，那么被称作地球存在之源的盖亚便是“爱与感谢”。

地球的设计理念是“爱与感谢”。而我们人类则被授予了管理职务。

“爱”这种行为能给予所有的存在“精神”。给予精神便是给予振动。正如音叉实验所示，想要给予对方振动，自身必须引发振动。这唯有人类才能做到。

因为只有我们才能自由地唱“do re mi fa sol la si”。此外的所有事物都无法像人类这样唱歌。

我认为能够自由地控制振动，就能进行思考。

那么，为什么人类与其他动物不同，拥有思考的能力？这难道不是我们能自由发出振动的信息并进行操作的缘故吗？

于是这些波动成为智慧，成为历史，成为文明。

振动的种类细致多样。即便是太古时代降下的每一片雪，其结成的结晶也并不相同，这便是振动的体现。

因此，当我们想到了不起的事时，经常使用“闪耀”“电击”“心潮澎湃”等形容词。

人们能拥有多样而细致的振动，是构成人类的原子数的多样性所致。

也就是说，人类是由存在于世上的各种各样的原子组成的。对此，我在最初出的一本书《波动时代的序幕》中这样写过。

所有的事物中都有精神波动

终于要讲到本质的问题了。以前，我曾经偶尔测定过除去枝茎的花朵，结果竟发现了原本只有人类才有的感情波动——寂寞。

这一结果产生了如下假说。

“焦躁不安、担心、生气等是负面的精神波动，怜悯、信赖、体贴、自信等是积极的精神波动，当人类拥有这些情感，精神波动便会表现出来。

“其实，波动对万物来说是共通的。不仅是植物，矿物与其他物质也拥有共同的波动。可以说，所有事态之源的波动能量都是精神（意识）波动的起因。”

在那一个月内，我进行了以这个假说为基础、以各类物质为对象的实验。针对钻石、药品、水、陶瓷等进行实验的结果全部印证了我的假说。

无论什么样的物质都有与人类相同的精神波动。关于这一点，可以生成另一个大胆的构思。但在此之前，我先对另一个发现进行阐述。

“恨”与“感谢”有同样的波动

船井综合研究所的船井幸雄先生负责的“直觉研究会”曾经邀请我去做讲师。正巧那时 MRA 的开发人罗纳尔多·J·魏因斯托克老师来到日本，我便计划在研讨会上请他发言。

事先商讨时，魏因斯托克老师告诉我一件非常有趣的事。

“波动有消极（负面，阴）的一面，也有积极（正面，阳）的一面。换句话说，即使是同一种波动，在积极和消极时表现出的状态也截然相反。

“比如‘恨’与‘感谢’、‘生气’与‘体贴’、‘悲伤’与‘喜悦’，这些情感虽然应该是一种波动，但由于人的情感积极或消极，便产生了相反的感情波动。”

听了这番话，我不禁深表赞同。因为在过去的波动实验中，我已经多次找到例子证明这一事实。

也请大家将自己的性格与这种说法联系起来考虑一下，应该能在自己体内寻找到互相矛盾的、如同两个人一般的人格。

百八烦恼与元素

我的想法逐渐向前迈进。为了确认正确与否，我阅读了岩波书店出版的《理化学辞典》中的“元素”一词，思维终于上了一个台阶。

“通过十七世纪末的波义耳、十八世纪后半期的拉瓦锡等人的倡导，人类掌握了实验证据。在那个时代，被发现的元素有三十种。随着新矿物的发现，以及利用光谱、X射线分析，人类发现了更多的元素。

“紧接着，通过核反应发现了新元素，可以确认从第一号氢至一百零三号铹，共有一百零三种元素存在。随后，又有报告称通过核反应发现了从一百零四号到一百零九号（没有一百零八号）元素。”

也就是说，现在已经确认存在的元素共有一百零八种。

得到一百零八这个数字的一瞬间，我的脑海中灵光一闪，出现了“百八烦恼”这个概念。

通往新学说的路标

通过前边的讲述，我得出如下假说。

构成物质与人类的元素有消极（阴）的波动和积极（阳）的波动。

元素周期表中的一百零八种元素，组合形成了万物。

或许玫瑰花就是三十种元素组合形成的。而猴子比人少三根毛的笑话或许并不是笑话，说不定猴子比人类少三种元素，即由一百零五种元素构成。

因此，每一种元素都一定有波动性的固有意义。如果能够通过 MRA 等波动测定仪进行分析，那么或许人类的秘密，甚至宇宙的秘密都能够揭开。

我凭直觉认为，就像氢的作用是“信息”、氧的作用是“能量”、碳的作用是“智慧”一样，一百零八种元素都拥有特定的作用。

阴与阳、消极与积极这样“两种场”的观点，是通过反复的协调与排斥凝结成的宇宙存在的基本物理现象。如果这两个极端瓦解，所有的事物都将失去平衡，从而崩溃。

进而言之，在这一百零八种元素中，我发现最新的元素大多通过核反应得到确认，我有种预感——如果出现更多的新元素，宇宙的平衡就会土崩瓦解。

总之，假设构成我们身体的某些元素引发了负面的精神波动的看法正确，那么，正确地摄取食物就变得非常重要。

进食正是供给我们体内必要营养的唯一手段。最近，一些年轻人几近疯狂的行为和思考方法，从这种角度来思考反而可以理解。

真正对身体好的食物

我想说一下最近对“食物”的看法。

众所周知，我们的身体由约六十兆以上的细胞构成。令人吃惊的是，每一个细胞的振动频率都有细微的差别。

细胞无法只凭自身来持续振动，需要得到帮助才能产生共鸣。

这里所说的“帮助”就是指“食物”。细胞当然由元素构成，食物自然也由元素构成。

当然，这是以让细胞通过我们的DNA或者意志的命令生存下去为前提，即让振动得以继续。

然而如前所述，只凭一人之力无法持续振动，所以要发出呼救：“谁来给我振动？”实际上就是“我肚子饿了”。

我们接受了细胞的信号，将救援物资——食物纳入体内。每个细胞都很小，为了大小适宜，便与唾液一同将食物仔细咀嚼成微粒，摄入体内。

首先将食物送到胃中进行暂时的储存，让消化酶处理。接着再送入肠中，在等待在那里的我们的朋友——微生物的帮助下分解得更小。接下来，通过体内多数微生物朋友的帮助，食物变得极为微小。当然，这期间水一直相伴左右，帮助它们前进，使道路更平坦。最终，食物细胞具有了身体细胞所需要的振动频率，之后通过共鸣，产生身体细胞所需的振动能量，使身体细胞恢复元气。

若是这样考虑食物与细胞之间的关系，便可以知道，它们的关系越纯粹，越能有效地交换能量。

食物细胞拥有的固有振动频率越接近身体细胞拥有的固有振动频率，这种食物对人体来说就越好。

因此，不挑食地吃遍各种食物非常重要（要知道身体细胞为六十兆多）。而食物细胞原本的振动频率被人为地改变——食用以农药和化学肥料栽培出的食物，食品工厂使用的各类人工防腐剂，摄取厨房和餐桌上用的化学调料，从能量角度而言都是很大的问题。

如果经常摄入这类东西，细胞本身就将发生物理性的变化，这便成了癌症、疑难杂症、精神障碍等疾病的主要原因。

当某种信号变弱时，信号与以往类似，却有些微不同，那就意味着那个东西一定是变了质。

如果这种想法能引起医疗和食品相关工作人员的共鸣，那么在不久的将来，应该就会诞生能正确测定各类食品、各种内脏器官振动频率的技术了。为了迎接那个时刻的到来，我认为从现在开始准备进行振动营养学的学习比较好。

爱与波长合二为一

《波动时代的序幕》一书于一九九二年出版。现在，我深感这个基础没有打错。

那时，我尚未从振动这一概念的角度对很多事物进行考察。前面我已说过，由于元素也有固定的振动频率，因此元素的数量越多，我们生来拥有的多样振动即信息也就越多。

比如，人类对庭院里盛开的花朵打招呼，便能给花活力，也能从野外生长的植物中分辨出药草和野菜。人的波长与狗、猫的也容易吻合。此外，无论去哪个国家，哄婴儿的声音都是一个调子。

是的，人可以本能地去配合对方的振动。这是组成自己体内物质的元素拥有相同振动频率的缘故。

我们直接给予对方振动共鸣的能量，给对方活力，这便是“爱”。对方接受振动的能量，以喜悦的能量进行回应，这便是“感谢”。

就这样，“爱与感谢”相互补充，产生了有效的能量，这正是自由能的原点。

所谓的科学本应在这条延长线上，但它在中途偏离轨道，忘记了这一原则。

于是烦恼登场了。名誉之心、物欲、权力欲、嫉妒心、怕死的恐惧之心……由于这些情绪，自由能总是难以创造出来。

虽然能创造出只应付眼前事物的破坏性能量，但总也创造不出可以延续几代的“爱与感谢”的能量、苏醒型的能量。

为什么会变成这样？因为那些试图主宰社会的所谓当权者巧妙利用了消极振动。

我们就将这些当作必须经历的探索之路，让它过去吧。否定过去就等于否定本身的存在。不如向过去学习，创造现在与未来的希望。

不管怎么说，对于人类被赋予的职责，即对“我们为什么在这里”的问题，可以找到如下明确的回答：

“人的作用是对一切不停地给予‘爱’的振动。这样就自然而然会出现‘感谢’的振动。通过互补的能量，这个世界应该能产生美好的平衡。

“这才是自由能，永远不会枯竭的能量。能量之源是水，就是 H_2O。H 代表感谢，O 代表爱。

“一份爱的振动能产生两份感谢的振动。水是永恒的。”

永远持续之物

我们是水。

我们是在水中受到保护的振动。

振动收集后来到地球的原子，穿上了借来的用原子制作的外衣。那便是肉体。

毫无疑问，是爱护还是胡乱对待那件衣服，决定了它的使用年限。人的寿命长短便由这一差别决定。

还有一种振动对寿命有影响，那便是祖先“未完成的波动”。我们的祖先有很多想完成而却未完成的事，这作为消极要素，根据租借的原子衣裳的长短而变化，衣服的使用年限也会因此变短。

通过亲身感受“爱与感谢”，这样的问题应该很容易弥补。或者说，我们在完成祖先未完成之事时，这些问题就被解决了。

言归正传，当我们归还借来的衣服后，即死后会变得怎样呢？

有两条路。

一条是升华后渡过三途川的路，另一条是成为灵魂等待轮回转世的路。能够渡过三途川的人变成新的水前往下一处。借由宇宙之水得以循环，其他星球上的生命秩序也得以维持。人类无论去往何处，都会像太阳般无私奉献出爱的能量。

没能渡过三途川的人，打个比方，就是培养宇宙和平管理人学校的落榜生。因此为了毕业，他们必须屡次三番地再次入学。最近落榜生很多，就算屡屡入学也很难如愿。

最后，是否能从这个地球学校顺利毕业，决定因素便是能否在实践中用身体而非头脑去感受“爱与感谢”的情感。

我们人类便是振动之物。其本质应该就是身穿借来的原子衣的灵魂。

换言之，我们就是“振动之魂”。

而且，这样的振动无法仅靠一物（一人）维持。没有了其他的共鸣振动，这种振动便会停止，即迎来真正的死亡。

反过来说，只要有其他方面的共鸣振动，振动便永不会停止。而经常接受其他的共鸣振动的绝对条件，就是要有“感谢的心”。换个说法，只要我们的体内常有“爱与感谢”，我们的生命——振动与灵魂就不会消亡。

尾声

本书是我对水结晶照片进行研究，历时九年写成的。为了把“爱与感谢”和它真正的含义尽可能简单明了地传达给各位，我最近从忙碌的日程中挤出时间，写下了这些文字。

让水阅读文字，形成水结晶。在发生变化的水结晶中，最美的是将“爱与感谢”贴到塑料瓶上，经过二十四小时之后拍摄到的照片。之后的水结晶照片中，再也没有拍到比这更美的了。

我在最近六年里，一直在考虑为什么这个词会形成最美的水结晶。之后，我终于找到了答案。

当然，我想立即将答案传达给读者朋友们。正巧德间书店要出版我的书，我便决定写下这件事。

然而怎么也无法动笔。总之，这是“爱的形式”，需要有与它相匹配的风格和构想。

之前的我，应该是属于强硬派。为了改变形象，我大费周章。幸亏有负责人丰岛女士的支持和建议，才终于完成。

当拿到丰岛女士给我的最终校样，重读一遍时，我再次深切地意识到，写好这样的文章果然很难。

特别是像我研究的这种新学说，讨论的是“波动”这种肉眼无法见到的世界。我非常清楚地认识到，要写出让读者容易理解的文章，需要有如神助的文笔。

但幸运的是，我拥有水结晶的照片。

在本书中，由于新的照片中有百分之五十的东西是可以看见的，我认为还是具有一定的说服力。

不过，我另一种用来说明波动的材料——音叉发出的是声音，没办法用肉眼看到。因此，本书便不得不用相关插图来进行说明。当然，要向读者传达声音的共鸣、回声现象等的现场感极其困难。

如果能够完美地将其展现出来，大概只能制作录像了。但即便是做成录像带，还是有不足之处。制作成本、流通系统以及不便携带等均是问题。更致命的是，没有播放设备便无法欣赏。

日本电影新社这一老字号新闻电影公司在去年十月制作了《水的答案》的录像带，效果非常理想，是一部令人感动的作品。

特别是看到水听了音乐之后形成的水结晶跳动成长的身影，读者无不感动，我甚至收到一位有名的电影导演特意发给我的表示赞扬的短信。

然而，录像带的价格虽然与照片集相同，出售了大概一年，迄今却只卖出了两千盘，不及照片集销量的百分之一。这究竟是什么原因呢？连身为作者的我都认为影像版比照片集更令人感动。

现在果然还是流行单行本的时代。也许不用录像带，而是采用DVD形式的话会卖得更好，但那样轻易就可以被复制。

我想将重要的真相传达给更多的人，多一个人也好。因此，我必须勤勉地修炼，写出好文章。这是相当耗费心力的工作，但我准备尽可能快乐地做下去。

那么，这本书究竟如何呢？是简明易懂还是令人费解？如果方便，请您一定直言相告，这样我们会受益匪浅。

本书即将完成之际，请允许我向大家坦白一件事。

其实，在写作这本书期间，我的身体状况变差，甚至严重到要住院了，直到现在感冒也没有完全好。一直宣传“爱与感谢”的重要性，说只要有“爱与感谢”便不会生病的当事人居然倒下了。

这到底是怎么回事？毫无疑问，这是我的“爱与感谢”之心还不够的缘故。虽然心里明白，但身体内部却并没有这样做。这个真理，我花了六年时间才懂得。

与诸位读者一同在这里宣誓，要在心中为“爱与感谢”这种心灵生存方式的实践做准备。

实践第一。将这本书送给我所爱的妻子和子，致以我深深的感谢。

图书在版编目(CIP)数据

水知道答案.3，水能传递爱的力量／〔日〕江本胜著；陈晶译.—2版.—海口：南海出版公司，2013.10
ISBN 978-7-5442-6639-0

Ⅰ.①水… Ⅱ.①江…②陈… Ⅲ.①人生哲学－通俗读物 Ⅳ.①B821-49

中国版本图书馆CIP数据核字(2013)第163831号

著作权合同登记号 图字：30-2010-013

水知道答案3：水能传递爱的力量
〔日〕江本胜 著
陈晶 译

出　版　南海出版公司　(0898)66568511
　　　　海口市海秀中路51号星华大厦五楼　邮编 570206
发　行　新经典发行有限公司
　　　　电话(010)68423599　邮箱 editor@readinglife.com
经　销　新华书店

责任编辑　翟明明
特邀编辑　江起宇
装帧设计　李照祥
内文制作　田小波

印　刷　河北鹏润印刷有限公司
开　本　880毫米×1230毫米　1/32
印　张　5
字　数　100千
版　次　2011年5月第1版　2013年10月第2版
印　次　2025年1月第40次印刷
书　号　ISBN 978-7-5442-6639-0
定　价　45.00元

Water Knows the Answers